B1

gente hoy 2

hoy

Libro del alumno

Curso de español basado en el enfoque por tareas

Ernesto Martín Peris
Neus Sans Baulenas

una
renovación
pedagógica

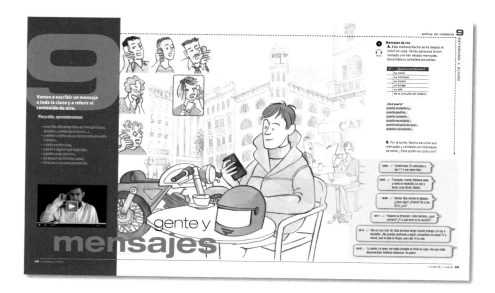

- **Una nueva unidad:** Gente en clase (unidad 0) para conocerse y activar estrategias de aprendizaje de idiomas.
- **Profundas modificaciones en todas las unidades:** nuevos documentos, nuevas actividades y ampliación de ciertos contenidos.
- **Inclusión de internet** como propuesta de consulta y contacto con materiales auténticos.
- **Nueva concepción de los materiales audiovisuales.** Ahora más breves y más a mano, con el fin de facilitar su uso en la secuencia de enseñanza.

Todos los vídeos del curso están disponibles en línea.

http://goo.gl/aQhov

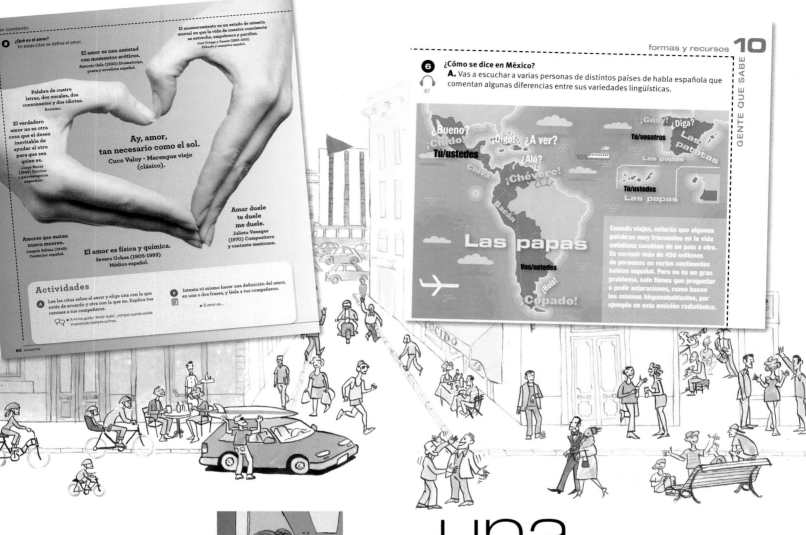

una
renovación
gráfica

- Nuevo carácter del diseño gráfico, acorde a las expectativas actuales, pero fiel a las señas de identidad de **Gente**.
- Representación de los aspectos culturales del mundo del español con mayor abundancia de recursos fotográficos.
- Un aspecto característico desde siempre en **Gente** es el cuidado en la planificación de las ilustraciones como apoyo pedagógico. Ahora, junto a las más emblemáticas, nuevas propuestas de estilo muy contemporáneo.

gente
hoy

Desde el primer momento, la enseñanza mediante tareas se centró en la acción del sujeto y en la interacción entre varios; proponía, pues, un aprendizaje caracterizado por tres propiedades: aprendizaje desarrollado mediante el uso de la lengua, uso de la lengua basado en textos y actividades de aula llevadas a cabo en cooperación entre alumnos. Estos elementos constitutivos del modelo fueron plenamente asumidos en la elaboración del manual GENTE. Han sido asumidos, también, por la gran mayoría de profesionales de la enseñanza de ELE (docentes, autores de materiales, responsables de programación y exámenes, etc.), hasta tal punto que hoy se aceptan como algo que se da por supuesto.

La gran aceptación que obtuvo GENTE y la satisfacción con que lo valoran los profesores y alumnos que lo han venido utilizando en todos estos años eran un poderoso estímulo para abordar la tarea de actualizar su presentación que se propuso la editorial; también, al propio tiempo, para introducir todas aquellas modificaciones que pudieran mejorarlo. A esta mejora han contribuido en gran medida, sin duda, las sugerencias de los profesores usuarios, que desde aquí queremos reconocer y agradecer sinceramente.

Como se ha señalado en más de una ocasión, una de las virtudes del enfoque mediante tareas es su capacidad de incorporar en el propio diseño de las tareas las nuevas aportaciones de las diversas disciplinas implicadas en la didáctica; y no solo en el diseño de las tareas propuestas en un manual, sino también en su ejecución en el aula. Es algo que estamos seguros de que han hecho y seguirán haciendo estos profesores y todos aquellos que se les unan con la publicación de esta nueva versión de GENTE.

cómo funciona
gente hoy

Estos iconos te informan sobre el tipo de trabajo que te propone la actividad: hablar con los compañeros, escuchar una grabación, tomar notas, elaborar una producción escrita o buscar en internet.

ENTRAR EN MATERIA

Estas páginas ofrecen un primer contacto con los temas y con el vocabulario de la unidad. Te anunciaremos cuál es la meta que nos hemos marcado para esta unidad y qué cosas vamos a aprender.

Se presentan los objetivos y los contenidos gramaticales de la unidad.

Aquí se anuncia el vídeo disponible para la unidad.

Normalmente se proponen pequeñas actividades de comprensión.

Cómo trabajar con estas páginas

▶ La imagen te va a ayudar mucho a comprender los textos o el vocabulario.

▶ Tus conocimientos generales, de otras lenguas o, simplemente, del mundo también te van a ser útiles. Aprovéchalos.

▶ Cuando en las actividades tengas que hablar o escribir, podrás hacerlo con los recursos lingüísticos ya aprendidos en secciones anteriores.

EN CONTEXTO

Estas páginas presentan documentos con imágenes, textos escritos y textos orales similares a los que vas a encontrar en las situaciones reales. Sirven para ponerte en contacto con los contenidos de la unidad y para desarrollar tu capacidad de comprender.

Hay textos muy variados: conversaciones, anuncios, artículos de prensa, programas de radio, folletos, cómics, etc.

Lo que vamos a hacer con cada documento está en el cuadro "Actividades".

Cómo trabajar con estas páginas

▶ Desde el principio vas a leer y a escuchar ejemplos auténticos del español de todos los días. No te preocupes si no lo entiendes absolutamente todo. No es necesario para realizar las actividades.

▶ Encontrarás nuevas estructuras y nuevos contenidos. Tranquilo, en las siguientes secciones vamos a profundizar en su uso.

FORMAS Y RECURSOS

En las actividades de estas páginas vamos a fijar la atención en algunos aspectos gramaticales pensando siempre en cómo se usan y para qué sirven en la comunicación.

Cómo trabajar con estas páginas

▶ Muchas veces tendrás que trabajar con un compañero o con varios y así practicaremos de una forma interactiva.

▶ En otras ocasiones te proponemos actividades en las que deberás explorar la lengua, fijarte en sus estructuras y en sus mecanismos para comprender mejor alguna regla determinada.

Todos los recursos lingüísticos que se practican los encontrarás agrupados en una columna central. Esta "chuleta" te ayudará a realizar las actividades y podrás consultarla siempre que lo necesites.

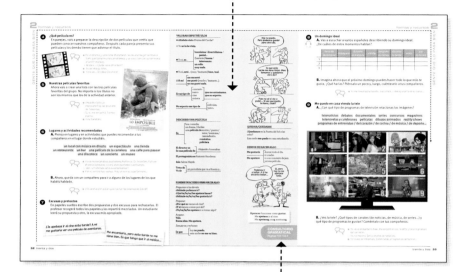

En esta nota te indicamos las páginas del "Consultorio gramatical" de esta unidad, que se halla al final del libro, donde podrás ampliar las explicaciones que tienes en la "chuleta".

TAREAS

Aquí encontrarás tareas para realizar en cooperación, en pequeños grupos o con toda la clase. Son actividades que nos permitirán vivir en el aula situaciones de comunicación similares a las de la vida real: resolver un problema, ponerse de acuerdo con los compañeros, intercambiar información con ellos y elaborar un texto, entre otras.

En muchas ocasiones, la doble página aporta nuevos recursos prácticos para la presentación del resultado de la tarea o para su preparación en grupos. Estos recursos se recogen en el apartado "Os será útil".

Cómo trabajar con estas páginas

▶ Lo más importante es la fluidez y la eficacia comunicativa. Recuerda que en páginas anteriores ya hemos practicado las herramientas lingüísticas que necesitas para comunicarte con tus compañeros; lo esencial ahora es llegar a manejar, en contexto, de forma natural y efectiva lo que hemos estudiado.

▶ En la fase de preparación, pregunta al profesor lo que necesites saber, o bien búscalo en el libro o en el diccionario, y discute con tus compañeros todo lo que consideres necesario para mejorar "el producto".

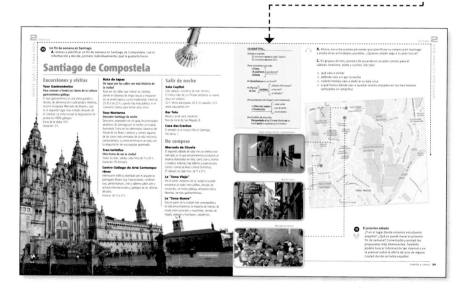

MUNDOS EN CONTACTO

En estas páginas encontrarás información y propuestas para reflexionar sobre la cultura hispanohablante, tanto sobre la vida cotidiana como sobre otros aspectos, históricos, artísticos, etc.

En estas páginas encontraremos textos y actividades que nos ayudarán a entender mejor las sociedades hispanohablantes y nuestra propia cultura.

Cómo trabajar con estas páginas

▶ Muchas veces tendremos que reflexionar sobre nuestra propia identidad cultural y sobre nuestras propias experiencias para poder entender mejor las otras realidades culturales.

▶ Hay textos que te pueden parecer complejos. Pero ten en cuenta que solo tienes que entenderlos, no se trata de producir textos similares.

CONSULTORIO GRAMATICAL

Al final del libro tienes a tu disposición un compendio sencillo, completo y claro de todos los contenidos gramaticales del libro ordenados por unidades.

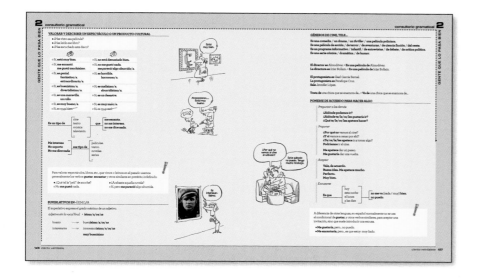

Cómo trabajar con estas páginas

▶ Cuando tengas una duda o quieras repasar puedes ir al consultorio. Aquí vas a encontrar explicaciones más detalladas de los contenidos lingüísticos organizados por unidades.

▶ A veces necesitarás saber si un verbo es irregular en un tiempo del pasado. Una rápida visita al Consultorio verbal te sacará de dudas.

gente en
clase

ENTRAR EN MATERIA

Dar a conocer aspectos de la personalidad a través de un test.

Vídeo
Saludos y despedidas.

TAREAS

Vamos a conocernos y a hacer una lista con los temas y actividades preferidos para aprender español durante el curso.

Comunicación
Valorar actividades.
Expresar dificultades.
Expresar motivaciones y objetivos.

Sistema formal
Me parece/n + adjetivo.
Me cuesta/n.
El gerundio para expresar el modo de hacer algo.
Me interesa/n.
Por/porque y **para.**

Vocabulario
Ámbitos relacionados con el uso de los idiomas.
Actividades de aprendizaje.
Dimensiones de la competencia comunicativa.

Textos
Conversaciones (CO e IO).
Recomendaciones para el aprendizaje (CE, IO).

CE = comprensión escrita
CO = comprensión oral
EO = expresión oral
IO = interacción oral
EE = expresión escrita

gente que se
conoce

ENTRAR EN MATERIA

Especular sobre la afinidad con las personas de una red social.

Vídeo
Entrevista a un joven cantautor sobre sus gustos, virtudes y defectos.

EN CONTEXTO

Comunicación
Dar y pedir información sobre personas.

Vocabulario
Adjetivos y sustantivos relacionados con el carácter.
Gustos, aficiones y manías.

Textos
Biografía (CE, IO).
Entrevista (CE, IO).
Test (CE, EO, EE).

FORMAS Y RECURSOS

Comunicación
Expresar similitudes, diferencias y afinidades entre personas.
Expresar gustos y sentimientos.
Valorar personas.

Sistema formal
Régimen pronominal de verbos como **gustar: me/te/le/nos/os/les.**
Condicional: verbos regulares e irregulares más frecuentes.
Interrogativas: **a qué hora / qué / cuál / qué tipo de / dónde / con quién/...**
Sustantivos femeninos: **-dad, -ez,-eza, -ía, -ura.**

Vocabulario
Adjetivos y sustantivos relacionados con el carácter.
Virtudes y defectos.
Gustos, aficiones y manías.

Textos
Fichas de información personal (CE, IO, CO).

TAREAS

Elaborar un cuestionario para conocer a los compañeros de clase.

Comunicación
Pedir información sobre personalidad, gustos, experiencias, etc.
Describir personas.

Sistema formal
Interrogativas indirectas con **si** e interrogativas directas con **dónde / con quién / por qué / qué / cuándo/...**
Muy / tan / demasiado + adjetivo.

Vocabulario
Carácter.
Virtudes y defectos.
Gustos, aficiones y manías.
Ámbitos personales: costumbres y aficiones, familia, experiencias...

Textos
Cuestionario de entrevista (EE, IO).
Presentación oral (EO).

MUNDOS EN CONTACTO

Conocer a españoles y a latinoamericanos famosos a partir de textos periodísticos.
Definirlos y valorarlos.

6 gente con ideas

10 gente que sabe

ENTRAR EN MATERIA

Dar información con diferentes grados de seguridad.

Vídeo
Concurso en la calle sobre qué saben los españoles de Latinoamérica.

EN CONTEXTO

Comunicación
Dar información con diferentes grados de seguridad.
Discutir datos.
Comprobar la validez de la información.

Sistema formal
Geografía, economía, costumbres e historia.

Vocabulario
Geografía, economía, costumbres e historia.

Textos
Test (CE, EE, IO). Concurso de televisión (CO, IO).

FORMAS Y RECURSOS

Comunicación
Pedir información.
Expresar diferentes grados de seguridad sobre el conocimiento.
Pedir confirmación.

Sistema formal
¿Sabe/s si... / cuál.../...?
Recordar algo y **acordarse de** algo.
La expresión de grados de seguridad: **yo diría que... / debe de** + infinitivo.
La expresión del acuerdo y el desacuerdo: **que sí, que sí; que no, que no...**
El imperfecto para reaccionar ante nueva información: **yo creía que / no lo sabía/yo ya lo sabía...**

Vocabulario
Descripción de un país: geografía, sociedad, economía, etc.
Sensibilización sobre las variantes geográficas del español.

Textos
Cuestionarios (CE, EE, IO). Infografía sobre las variantes del español (CE).
Emisión radiofónica (CO).

TAREAS

Hacer un concurso en equipos sobre conocimientos culturales.

Comunicación
Dar y pedir información con diferentes grados de seguridad.
Expresión de desconocimiento.
Discutir información.

Sistema formal
Interrogativas indirectas: **podemos preguntarles si / quién / dónde/...**
Contenidos vistos durante el curso.

Vocabulario
Reutilización de lo aparecido en secciones anteriores.
Repaso de contenidos vistos a lo largo del curso.

Textos
Casillas con preguntas para un juego de conocimientos (EE, CE, IO, EE).

MUNDOS EN CONTACTO

Sensibilizarse sobre cuestiones relacionadas con la variedades geográficas del español: su unidad fundamental y algunas variaciones lingüísticas.
Extracto del artículo de prensa sobre "El Atlas sonoro del español".

consultorio
gramatical

Vamos a conocernos y a hacer una lista con los temas y actividades preferidos para aprender español.

Para ello, aprenderemos:

- a valorar actividades para aprender idiomas con **me parece/n** + adjetivo,
- a expresar dificultades con **me cuesta/n,**
- el gerundio para expresar el modo de hacer algo,
- a expresar motivaciones con **me interesa/ n,**
- a expresar causa y finalidad con **por/porque** y **para,**
- expresiones útiles en el aula,
- recursos para describir el nivel de competencia en un idioma.

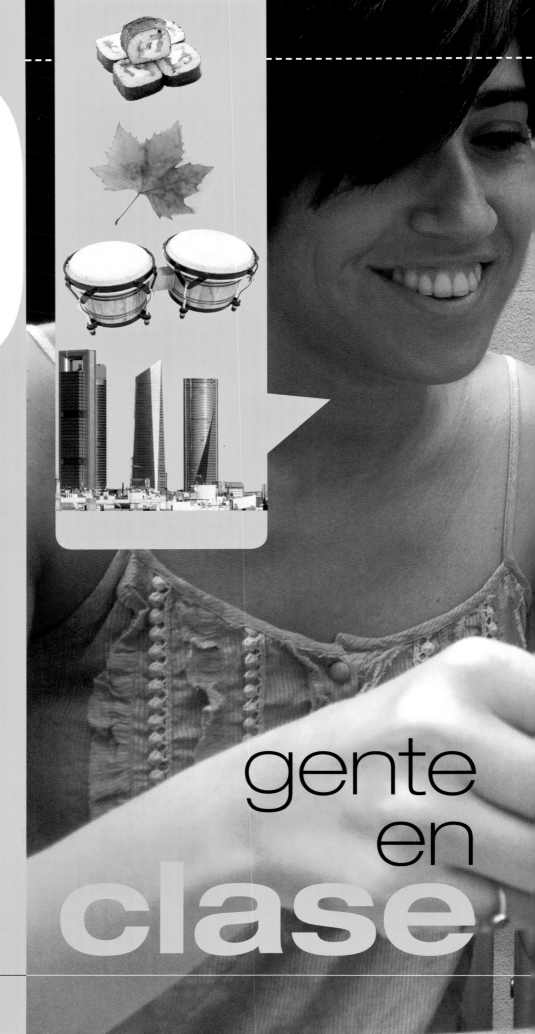

gente
en
clase

1 Un test

Los autores de este libro han contestado a un test. Léelo y luego házselo tú a un compañero. Después, entre todos, se lo hacéis a vuestro profesor. Podéis proponer algún tema más. ¿Tenéis gustos en común o sois muy diferentes? Comentadlo con el resto de los compañeros. Podéis también preguntarle al profesor algún aspecto que os interese.

	Ernesto	Neus	Un compañero	Mi profesor
UN LUGAR PARA VIVIR	El Mediterráneo	Girona		
UN LIBRO	*Los enamoramientos*, de Javier Marías	*La fiesta del chivo*, de Mario Vargas Llosa		
UNA PELÍCULA	*Amour*, de Michael Haneke	*El secreto de sus ojos*, de Juan José Campanella		
UN PLATO	El bacalao al pilpil	El pollo con gambas		
UNA CIUDAD	San Sebastián	Barcelona		
UNA MANÍA	No desordenar las hojas del periódico	Llevar siempre gafas de sol		
UNA CUALIDAD QUE ADMIRA	El saber estar	La generosidad		
UN DEFECTO QUE ODIA	La avaricia	La vanidad		
UN PROBLEMA QUE LE PREOCUPA	La incomunicación entre culturas	El racismo		
UNA ESTACIÓN DEL AÑO	La primavera	El otoño		
NO LE GUSTA	Fregar los platos	Limpiar cristales		
UNA PRENDA DE VESTIR	Jersey de cuello redondo	Pantalones vaqueros		
UN COLOR QUE NO LE GUSTA	El marrón	El rosa		
UN ACTOR/UNA ACTRIZ	Ángela Molina	Ricardo Darín		
EL TIPO DE MÚSICA QUE MÁS LE GUSTA	La bossa nova	El jazz		
PALABRA FAVORITA EN ESPAÑOL	Gracias	Albahaca		
...				

tareas

2 ¿Por qué y para qué el español?

Reflexiona individualmente sobre tu relación con el aprendizaje del español.
Luego, coméntalo con un par de compañeros. ¿Coincidís? Informad al resto de la clase.

MIS MOTIVOS

- ■ Porque me interesa la literatura hispanoamericana.
- ■ Porque tengo amigos hispanohablantes.
- ■ Viajo frecuentemente a países de habla hispana.
- ■ Por mi trabajo.
- ■ Tengo que elegir una lengua extranjera en mis estudios.
- ■ Por otras razones: ...

LOS TEMAS QUE ME INTERESA/N

- ■ La actualidad y la política.
- ■ Los negocios.
- ■ La música.
- ■ El cine.
- ■ La historia.
- ■ Los deportes.
- ■ El arte y la literatura.
- ■ La ciencia y la tecnología.
- ■ Las culturas hispanohablantes.
- ■ La vida cotidiana de otras culturas.
- ■ Otros temas: ...

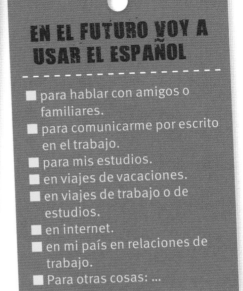

EN EL FUTURO VOY A USAR EL ESPAÑOL

- ■ para hablar con amigos o familiares.
- ■ para comunicarme por escrito en el trabajo.
- ■ para mis estudios.
- ■ en viajes de vacaciones.
- ■ en viajes de trabajo o de estudios.
- ■ en internet.
- ■ en mi país en relaciones de trabajo.
- ■ Para otras cosas: ...

● A nosotros nos interesan especialmente la música y los viajes, y vamos a usar el español, sobre todo, para ir de vacaciones.

3 Mis experiencias con el español

01-05

A. Vas a escuchar a unas personas que hablan de su aprendizaje de lenguas extranjeras. Toma notas de lo que dicen. ¿Con quién te identificas más? ¿Por qué?

1. Camilo   **2.** Amparo   **3.** María   **4.** Juan Pablo   **5.** Borja

● Yo soy más como Borja, porque uso siempre palabras simples.
○ Pues yo, como María...

B. ¿Cuál es para ti la dificultad de estas actividades en español? Coméntalo con la clase.

	No me cuesta	Me cuesta un poco	Me cuesta bastante	Me cuesta mucho
hablar				
entender lo que oigo				
escribir				
leer				
aprender reglas gramaticales				
recordar el vocabulario				
pronunciar bien				

C. ¿Cómo has aprendido español u otras lenguas? ¿Qué nivel tienes en cada lengua?

Yo he aprendido mucho leyendo/viendo la tele/viajando...

Yo hablo italiano bastante bien porque mi familia es de origen italiano.

Yo he estudiado muchos años francés/alemán... pero no hablo bien.

- **Me cuesta** escribir / la pronunciación.
- **Me cuestan** los verbos.

- **Me parece** muy útil ver vídeos.
- **Me parecen** aburridos los ejercicios de huecos.

- Para memorizar léxico **me va muy bien** hacer esquemas.

D. ¿Qué actividades te ayudan a aprender? Reflexiona con tus compañeros.

Observar ejemplos y descubrir las reglas.
Reflexionar sobre la gramática.
Jugar para memorizar vocabulario o estructuras.
Hacer tareas en cooperación en pequeños grupos.
Hacer pequeñas representaciones teatrales.
Hablar mucho en clase de cosas interesantes.
Hacer muchos ejercicios de gramática.
Buscar información en internet.
Escuchar canciones y cantar.

Escuchar grabaciones.
Escribir en redes sociales.
Ver vídeos.
Leer prensa.
Leer novelas fáciles.
Hacer dictados.
Traducir.
...

 Me parece muy útil y divertido.

 Me parece útil, pero me cuesta.

 Me parece útil, pero es aburrido.

 No me parece útil. Además, es muy aburrido.

4 Algunos trucos
Echa un vistazo a estos trucos para mejorar diariamente tu español. ¿Cuáles usas ya? ¿Cuáles no te parecen nada prácticos? ¿Por qué? Coméntalo con dos compañeros.

TRUCOS

1. Descubre lo que a ti te va mejor para recordar palabras nuevas: escribir etiquetas, hacer esquemas, dibujos, inventar ejemplos...
2. Cambia el idioma de tu cuenta de correo electrónico o de tus redes sociales.
3. Entra en foros sobre tus aficiones o temas que te interesan y atrévete a publicar comentarios.
4. Escucha música en español. Busca las letras o vídeos musicales con subtítulos y... ¡canta!
5. Ve la TV, o tus series o películas favoritas en versión original, con subtítulos en español.
6. Escucha la radio o podcasts sobre temas que te interesan.
7. Si te gustan los videojuegos, juega en español.
8. Ve vídeos en youtube sobre tus aficiones o temas de interés.
9. Descárgate apps en español y audiolibros.
10. Lee todo lo que puedas: lecturas graduadas, prensa, blogs...
11. Para perder el miedo a hablar, grábate y escúchate.
12. Sácale partido a los buscadores como Google para buscar en diferentes contextos palabras y estructuras sobre las que dudas.
13. Si no te queda clara una palabra, busca las imágenes con las que la asocia tu buscador.

 ● Yo ya veo películas en versión original. Se aprende mucho.
○ Sí, yo también, pero me cuesta un poco.

5 En este curso nos gustaría...
En pequeños grupos preparad un resumen de los temas y las actividades que más os interesan y de lo que os gustaría hacer en este curso.

● A mí me va muy bien aprender canciones de memoria.
○ Pues yo necesito explicaciones gramaticales y hacer muchos ejercicios.

Vamos a elaborar un cuestionario para saber cómo son nuestros compañeros de clase.

Para ello, aprenderemos:

– a expresar gustos y preferencias,
– a describir caracteres y hábitos,
– a hablar de situaciones hipotéticas,
– frases interrogativas con **dónde, por qué, qué, quién/es**, etc.,
– frases interrogativas indirectas: **me gustaría saber si / dónde / cómo / qué…**,
– sustantivos derivados de adjetivos: **-dad, -ismo, -ía, -eza, -cia, -ez**,
– el condicional y algunos de sus usos.

Mateo 72
👍 el taichi, caminar y conversar
👎 la gente pesimista y cobarde

Marcelo 42
👍 el tenis de mesa
👎 chatear con mis amigos

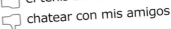

Nati 57
👍 el arte y la literatura
ℹ sincera y sociable

Paco 34
👍 ir de fiesta y el heavy metal
👎 las mentiras y el racismo

Toni 32
👍 estar en forma y escribir
ℹ tímido y creativo

Nuria 25
👍 los videojuegos y el cine
👎 el reggae y el egoísmo

gente que se
conoce

Candela 19

👍 la moda y estar con amigos

👎 la gente sin sentido del humor

Lupe 34

👍 África y Latinoamérica

ℹ️ solidaria y generosa

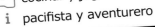

Jairo 33

👍 cocinar y jugar al fútbol

ℹ️ pacifista y aventurero

 1 **¿Quién?**

A. Estos son algunos miembros de GENTE INTERESANTE, una red social para conocer gente. ¿Qué puedes decir de ellos? Coméntalo con dos compañeros.

▸ ¿Cómo son?
▸ ¿Qué hacen?
▸ ¿Qué les interesa?
▸ ¿Qué les gusta? ¿Qué no les gusta?

● A Paco no le gustan las mentiras.
○ Mateo hace taichi.
■ Y Jairo es pacifista.

B. Ahora, mirad esta lista de cualidades de persona. ¿Conocéis su significado? ¿Podéis añadir otras a la lista?

interesante	antipático/a
superficial	sin prejuicios
agradable	inteligente
simpático/a	aburrido/a
divertido/a	...
con sentido del humor	...
con buen gusto	...
serio/a	

C. Mirad de nuevo las fotos, asociad una cualidad con cada persona y decid con quién haríais cada una de estas cosas.

	nombre	parece una persona...
Iría de compras con...		
No me **gustaría** trabajar con...		
Podría compartir casa con...		
Nunca **saldría** a bailar con...		
Haría un viaje con...		
Me **gustaría** conocer a...		

● Yo iría a cenar con Paco, porque parece muy simpático.
○ Pues yo iría con Jairo, que es muy guapo.

D. Presta atención a las nuevas formas verbales en **negrita** que aparecen en la tabla. ¿Puedes escribirlas junto con sus infinitivos?

iría ⟶ ir

② **Una bailaora muy especial**
Aquí tienes un reportaje sobre una bailaora de flamenco española.

Antonia **Moya**

Antonia Moya nació en Granada en 1958. Estudió Psicología en la universidad de esta misma ciudad. A los 22 años, terminada la carrera, se trasladó a Nueva York con la intención de matricularse en un programa del Hunter College para especializarse en terapias a través del baile; pero el reencuentro con el flamenco, paradójicamente tan lejos de Andalucía, le hizo cambiar de planes. De vuelta a España, se dedicó íntegramente al estudio del flamenco. Bailaora profesional desde 1984, ha actuado en los más prestigiosos tablaos de Madrid y en numerosos países con espectáculos de danza contemporánea y de flamenco, además de combinarlo con la enseñanza. Actualmente, es propietaria de Las Tablas, uno de los tablaos de flamenco de referencia en Madrid. Está divorciada y tiene un hijo y una hija.

(www.lastablasmadrid.com)

PREGUNTAS MUY PERSONALES

La clave de la felicidad es…   tomarse la vida con calma.
¿Qué le gustaría cambiar de su personalidad?   La indecisión.
¿Y de su físico?   Estoy contenta. Absolutamente nada.
Su mayor defecto es…   la impaciencia.
Su peor vicio es…   la gula: me encanta comer.
Es negada para…   planchar.
Se considera enemiga de…   la avaricia.
Le preocupa…   la corrupción política.
Su asignatura pendiente es…   la danza contemporánea.
Le gustaría conocer a…   Brad Pitt.
A una isla desierta se llevaría…   un jamón ibérico y un buen vino tinto.
¿Qué cualidad aprecia más en un hombre?   La generosidad.
Le da vergüenza…   hablar en público.
¿Cree en la pareja?   Sí.
Antes de dormir le gusta…   leer un poco.
Si no fuera bailaora, sería…   cantaora.
Le pone nerviosa…   el ruido de las motos.
Una manía…   Ordenar cosas.
Le da miedo…   lo que está ocurriendo en algunos lugares del mundo.
Su vida cambió al…   volver a España para estudiar flamenco en Madrid.

LE GUSTA/N…   ODIA…

	LE GUSTA/N…	ODIA…
Prenda de vestir:	los pantalones	los abrigos de piel
Actor:	Al Pacino	a Nicolas Cage
Serie de TV:	*Los Soprano*	*CSI*
Deporte:	correr	la lucha libre
En su tiempo libre:	estar con la familia	hacer pasatiempos
Comida:	los erizos de mar	los callos
Género musical:	el flamenco	el reggaeton

PREFIERE…

la izquierda o la derecha
de día o de noche
de copas o en casa
París o Nueva York
la ciudad o el campo
el cine o el teatro

EL TEST

1. Le emociona más…
 a.   el flamenco
 b.   el blues
 c.   la música clásica

2. Le dedicaría unas bulerías a…
 a.   el Rey
 b.   Stephen Hawking
 c.   Obama

3. Para un sábado por la noche prefiere…
 a.   una buena película
 b.   un buen libro
 c.   bailar

4. ¿Qué le indigna más?
 a.   la homofobia
 b.   el culto al dinero
 c.   el racismo

5. Cambia de canal de TV cuando ve…
 a.   una película violenta
 b.   un *reality show*
 c.   un partido de fútbol

6. En la vida ha encontrado mucha…
 a.   amistad
 b.   envidia
 c.   hipocresía

Actividades

A Lee la biografía de Antonia y sus respuestas a los cuestionarios. ¿Con cuáles de estas palabras la describirías? Justifica tu elección ante tus compañeros con fragmentos del texto.

optimista	simpática	insegura
sin complicaciones	conservadora	moderna
tranquila	valiente	tímida
segura	pesimista	antipática
tradicional	complicada	progresista
sociable	nerviosa	miedosa

 ● Yo creo que Antonia es una persona valiente, porque….

B ¿Y tú? ¿Tienes algo en común con ella? Cuéntaselo a tus compañeros.

 ● Yo también soy negado para planchar.

GENTE QUE SE CONOCE

❸ Gente que se lleva bien

A. Leticia y Luis están en una red social para hacer amigos. ¿Te llevarías bien con ellos? ¿Por qué? Coméntalo con un compañero.

Gustos	No soporto a los hombres que roncan ni a la gente cobarde. Me encanta la aventura y conocer gente. Me gustan las motos y el cine de acción. No como carne. Soy vegetariana.
Costumbres	Estudio por las noches, salgo mucho y, en vacaciones, hago viajes largos.
Aficiones	Barranquismo, esquí de fondo y parapente.
Manías	Tengo que hablar con alguien por teléfono antes de acostarme.
Carácter	Soy un poco despistada y muy generosa. Tengo mucho sentido del humor.

Leticia Salas Vicente

Gustos	Me interesan las personas con algo interesante que contar. No soporto la hipocresía y el desorden. Me encanta la soledad y pasear por el campo. Me gustan los deportes de montaña.
Costumbres	Llevo una vida muy ordenada. Me levanto muy pronto y hago cada día lo mismo, a la misma hora.
Aficiones	Colecciono carteles de publicidad antiguos y discos de vinilo de música clásica. Tengo dos serpientes.
Manías	Odio dormir con pijama.
Carácter	Soy un poco tímido y bastante tranquilo.

Luis Cózar Arroyo

● Me llevaría bien con Luis, porque le gusta la montaña, como a mí.
○ Pues yo, con Leticia. A los dos nos gustan las motos...

06

B. Luis y Silvia han quedado para conocerse. Después de la cita, Luis le cuenta a una amiga cómo es Silvia. Escucha y completa. ¿Crees que van a llevarse bien?

Silvia Pozas Gil

¿Cómo es Silvia...?	
Le encantan...	
Odia...	
No soporta...	
Le apasiona...	

● Yo creo que van a llevarse bien, porque a los dos les encanta...
○ Pues yo creo...

C. Observa los verbos de la tabla anterior. ¿Puedes hacer en tu cuaderno un esquema sobre cómo funcionan? Tu profesor puede ayudarte.

D. Prepara una ficha como las anteriores y, luego, preséntate a dos compañeros.

EXPRESAR GUSTOS Y SENTIMIENTOS

Me encantan las chicas como tú, nena.

Pues yo no soporto comentarios como ese.

(a mí) Me gusta ⎡ el **arte**. *n. singular*
OI ⎣ **viajar**. *infinitivo*
sujeto

(a mí) Me gust**an** ⎡ las **motos**. *n. plural*
OI *sujeto*

(yo) Odi**o** ⎡ la **hipocresía**. *n. singular*
⎢ los **hospitales**. *n. plural*
⎣ **madrugar**. *infinitivo*
sujeto OD

Verbos que funcionan como **gustar**
me encanta/**n**
me interesa/**n** (mucho)
no me interesa/**n** (nada)
me preocupa/**n** (mucho / un poco)
me molesta/**n** (mucho / un poco)
me da/**n** (un poco de / mucho) miedo
me pone/**n** (muy / un poco) nervioso/a
me cae/**n** (muy) bien / mal

A mí	me	
A ti	te	preocupa el futuro.
A él / ella / usted	le	dan miedo las arañas.
A nosotros/as	nos	
A vosotros/as	os	encanta comer bien.
A ellos / ellas / ustedes	les	

Verbos que funcionan como **odiar**
adoro   no aguanto
detesto   no soporto

SUSTANTIVOS Y ADJETIVOS

Son femeninos los sustantivos que acaban en:

-dad:	la bondad	← bueno
-ez:	la timidez	← tímido
-eza:	la torpeza	← torpe
-ía:	la alegría	← alegre
-ura:	la ternura	← tierno

Son masculinos, los acabados en:

-ísmo:	el egoísmo	← egoísta

EL CONDICIONAL

Se forma con el infinitivo y las terminaciones: **ía/ías/ía/íamos/íais/ían**

Regulares

HABL**AR**	COM**ER**	VIV**IR**
hablar**ía**	comer**ía**	vivir**ía**
hablar**ías**	comer**ías**	vivir**ías**
hablar**ía**	comer**ía**	vivir**ía**
hablar**íamos**	comer**íamos**	vivir**íamos**
hablar**íais**	comer**íais**	vivir**íais**
hablar**ían**	comer**ían**	vivir**ían**

> ¿Ir a esquiar con vosotros? Yo iría, pero...

Algunos irregulares

DECIR	→ **dir-**	
HACER	→ **har-**	
HABER	→ **habr-**	**ía**
PODER	→ **podr-**	**ías**
PONER	→ **pondr-**	**ía**
QUERER	→ **querr-**	**+ íamos**
SABER	→ **sabr-**	**íais**
SALIR	→ **saldr-**	**ían**
TENER	→ **tendr-**	

INTERROGATIVAS INDIRECTAS

● **Me gustaría saber**
- **si** haces deporte.
- **cuál** es tu color favorito.
- **cuántas** lenguas hablas.

CONSULTORIO GRAMATICAL
Páginas 122-125 ▶

---

4 **Cosas en común**

A. Haz preguntas por la clase. ¿Con qué tres compañeros compartes algunas de estas cosas?

- Le gusta la misma música que a ti.
- Se acuesta aproximadamente a la misma hora que tú.
- Tiene el mismo hobby que tú.
- Hace lo mismo que tú en vacaciones.
- Su color favorito es el mismo que el tuyo.
- Lee el mismo periódico que tú.

● ¿A ti te gusta la salsa?
○ No, no mucho.

B. ¿Con quién tienes más cosas en común? Cuéntaselo a la clase.

5 **Cualidades y defectos**

A. ¿Conoces estas palabras? Clasifícalas en cualidades y defectos con ayuda del diccionario. Después, intenta adivinar los adjetivos correspondientes.

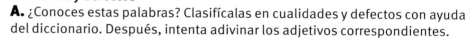

la simpatía   la inteligencia   la dulzura   la pedantería   la generosidad
la sensibilidad   la honestidad   la solidaridad   la ternura
la estupidez   el egoísmo   la superficialidad   la modestia   la avaricia   el optimismo

B. Piensa en las siguientes situaciones, ¿qué cualidad es la más importante para ti? ¿Y cuál el peor defecto? ¿Por qué? Coméntalo con dos compañeros.

	En la pareja	En el trabajo	En la amistad
Lo más importante			
Lo peor			

● Para mí lo peor en la amistad es el egoísmo...

6 **Situaciones inesperadas**

A. Escucha lo que haría Carla en estas situaciones imaginarias. Toma nota.

07

→ Te ofrecen un trabajo muy bien pagado en otro país.	
→ Te escribe un desconocido y te dice que eres el amor de su vida.	
→ Te encuentras un teléfono móvil de última generación en un bar.	
→ Te proponen un papel en una película.	
→ Te encuentras en el ascensor con tu actor / actriz preferido/a.	

B. ¿Y tú? ¿Qué harías en cada caso? Escribe frases usando el condicional.

C. En grupos, poned en común vuestras reacciones. Luego inventad nuevas situaciones y decid qué haríais.

● Imagina que te toca un millón de euros en la lotería...
○ Yo, daría la vuelta al mundo...

7 **Queremos conocer mejor a...**

En grupos vamos a elaborar un cuestionario de 10 preguntas para conocernos mejor. Sigue estos pasos.

A SOBRE QUÉ TEMAS VAMOS A PREGUNTAR

En pequeños grupos, hay que ponerse de acuerdo sobre cuáles son los temas más importantes para conocer bien a alguien. Seleccionad algunos entre estos o proponed otros.

CONOCE A TU COMPAÑERO

EL AMOR

LA PROFESIÓN

LA FAMILIA

LAS COSTUMBRES

LA INFANCIA

LAS AFICIONES

LAS OPINIONES

LOS PROYECTOS

EL CARÁCTER

OTROS TEMAS

B INDIVIDUALMENTE, IMAGINAD LAS PREGUNTAS

Ahora vais a formular preguntas concretas. Tened en cuenta que hay muchos tipos de cuestionarios posibles.

¿Qué haces cuando te presentan a alguien?

a) hablas mucho
b) hablas lo normal
c) no hablas casi nada
...

¿Eres aventurero/a?
...

¿Qué cosas no soportas?

a) _____
b) _____
c) _____
...

Illes Medes

OS SERÁ ÚTIL...

- A mí me parece interesante... } saber
- A mí me gustaría...

Podemos preguntarle

- si...
- dónde...
- con quién...
- por qué...
- qué...
- cuándo...
- cuántos/-as...
- a qué hora...
- qué tipo de...

Me gustaría saber si está casada.

- Ese es un tema **muy** interesante.
- Ese no es un tema **tan** importante.
- Esa es una pregunta **demasiado** íntima.

C JUNTOS DISEÑAMOS UN CUESTIONARIO

Cada grupo elige las 10 mejores preguntas y escribe un cuestionario que vais a usar en la entrevista.

D ENTREVISTAMOS A UN COMPAÑERO

Cada uno de vosotros hace la entrevista a un compañero de otro grupo. El entrevistador toma notas.

E PRESENTAMOS AL COMPAÑERO AL RESTO DE LA CLASE

Cada uno presenta a su entrevistado a los demás compañeros.

 ● Os voy a hablar de Robert. Lo que más le gusta es...
Respecto al carácter, Robert es...

GENTE QUE SE CONOCE

GENTE CON PREMIOS

La cultura hispana es cada vez más influyente en todo el mundo. Estos son seis personajes hispanohablantes que han tenido, cada uno en su terreno, un papel muy importante en los últimos años y han recibido muchos premios. En estos fragmentos de entrevistas hablan de su personalidad o de su trabajo.

Ricardo Darín
Buenos Aires, 1957
Actor, director y guionista argentino
Protagonista de *El secreto de sus ojos* (Óscar a la Mejor película de habla no inglesa). Ha ganado infinidad de premios, entre ellos: dos Premios Goya, varios Premios Clarín y Premios Sur por su trabajo como actor

Carme Ruscalleda
Sant Pol de Mar, 1952
Cocinera española
Es la única mujer del mundo que posee cinco estrellas de la Guía Michelín, tres por su restaurante en Sant Pol de Mar, cerca de Barcelona, y dos por su restaurante en Tokio

Valentín Fuster
Barcelona, 1943
Cardiólogo español
Desde 2006, es presidente de la Asociación Mundial de Cardiología. Premio Príncipe de Asturias de Investigación Científica y Técnica y Doctor honoris causa por numerosas universidades

❝ ¿Feliz con más plata? ¿De qué me hablás? (...) Yo tengo plata, tengo un auto importado de alta gama. Desayuno, ceno y almuerzo lo que quiero y puedo darme dos duchas calientes al día. ¿Vos tenés idea de cuánta gente del mundo puede darse dos baños calientes al día? Muy poca gente puede darse ese gusto. Y como no me considero un excelente actor, siempre digo que lo mío fue pura suerte, ¿me entendés? En este mundo capitalista salvaje yo soy un tipo de muchísima suerte. (...) Yo me puedo ver desde afuera y me digo "loco, qué suerte que tuviste". **❞**

❝ Mi vida sin mi profesión no la entendería ni yo misma. Quizás es por eso que puedo hacerlo con esa libertad y con esa alegría. Me considero una persona afortunada que me he encontrado con un profesión que me encanta y le dedico lo mejor de mi vida. (...) Soy una loquita del trabajo. Yo tengo muchos números para caer en enfermedades por adicción al trabajo. **❞**

❝ Atiendo frecuentemente a personas que están solas. El aislamiento, la falta de comunicación, lleva al individuo a un estado de negatividad que el sistema médico se ve incapaz de parar. Es importante abrirse a los demás; formar parte de la sociedad. Yo siempre recomiendo el voluntariado. Cuando ayudamos a los demás, nos estamos ayudando a nosotros mismos. Suena moralista pero es una realidad. Las personas que deciden realizar tareas de voluntariado constatan que reciben tanto o más de lo que dan. Y es importante luchar contra el ritmo loco de nuestra sociedad, frenar y reflexionar. **❞**

8 Dos personajes

A. Lee los textos y elige a dos de estos personajes. Según lo que has leído, ¿qué cualidades les definen mejor? ¿Algunas de la lista? ¿Otras? Ponte de acuerdo con un compañero.

apasionado/a genial optimista modesto generoso/a sensible comprometido/a
obsesivo/a inquieto/a idealista espiritual trabajador/a pedante
creativo/a solidario/a realista genial brillante valiente atrevido/a

 B. Busca más información en internet sobre la vida o la obra de alguno de ellos y preséntala a tus compañeros.

9 Afirmaciones

¿Compartes alguna de las cosas que dicen? ¿No estás nada de acuerdo con algo? ¿Con qué?

> « La música es la expresión más elevada del espíritu, después de la religión. Es un arte de una capacidad inmensa para motivar y expresar el alma, para sembrar valores positivos y afirmativos que tienen que ver con la armonía, la concordia y el amor. »

> « Admiro muchísimo a aquellos directores que siguen una misma línea, y creo que son, a fin de cuentas, los más difíciles, o a lo mejor los más autores. Es decir, no tengo una obsesión y sigo eternamente detrás de ella. Si no tengo curiosidad por algo, pierdo el entusiasmo; siento que si ya conozco el territorio, tengo que buscar algo un poco menos explorado. »

> « Yo he escrito libros para dar voz a los que no la tienen, a los que están siempre silenciados... No soy lo suficientemente pretenciosa para pensar que la literatura influya en la vida de la gente. La literatura es un oficio como cualquier otro, y no creo que cambie para nada el mundo... La literatura no es la política. »

Gustavo Adolfo Dudamel
Barquisimeto, 1981
Músico y director de orquesta venezolano
Director de la Orquesta Filarmónica de Los Ángeles. Premio Grammy

Elena Poniatowska
París, 1932
Escritora, activista y periodista mexicana
Su obra literaria y periodística ha sido distinguida con numeros premios, entre ellos el Premio Nacional de Periodismo de México, el Premio Rómulo Gallegos, el Alfaguara de Novela y el Premio Cervantes

Alfonso Cuarón
Ciudad de México, 1961
Guionista, productor y director de cine mexicano
Director de *Harry Potter y el prisionero de Azkabán*, *Gravity*, *Y tu mamá también*. Premios Ariel, BAFTA y ACE

2

Vamos a planificar un fin de semana en una ciudad española.

Para ello, aprenderemos:
- a intercambiar información sobre actividades de ocio,
- a acordar actividades y a concertar citas,
- a valorar y a describir un espectáculo,
- los géneros de cine y de televisión,
- a expresar frecuencia y habitualidad: **muchas veces, a menudo**...
- a situar acontecimientos: dónde y cuándo,
- a situar a lo largo del día: **por la mañana / tarde / noche**...,
- **quedar** y **quedarse**,
- **me apetece/n, me entusiasma/n, me apasiona/n,**
- los superlativos (**-ísimo/a/os/as**).

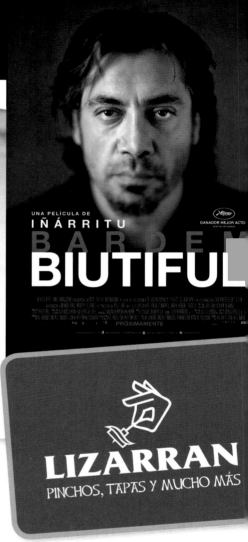

gente
que lo

pasa bien

Vive el Derbi en THE BAR

Viriato, 17 ● MADRID

ENTRADA LIBRE

SÁBADO 1 DICIEMBRE 22 H.
APERTURA DE PUERTAS 20:30 H.

El nuevo espectáculo de Les Luthiers!
¡Sensacional Estreno!

¡NO SE LO PIERDAN!

5 DE SEPTIEMBRE

9 ÚNICAS SEMANAS

LOCALIDADES EN VENTA

TEATRO GRAN REX

LES LUTHIERS
Lutherapia

① Para pasarlo bien

A. Fíjate en estos documentos. ¿Qué anuncian?

una película   un concierto   un mercado de segunda mano
un restaurante   una obra de teatro   un local de copas
un festival de música / cine   un partido de fútbol   una discoteca
un bar   un espectáculo de danza / de humor...

B. ¿Y tú? ¿Qué propuesta escogerías para este fin de semana?

● A mí me gustaría ir a tomar unas tapas y, después, al concierto.

C. Ahora, escucha a estas personas. ¿Cuáles de estas propuestas para este fin de semana preferirían? Di por qué.

08-12

1. Marta: ....
2. Juan Pablo: ....
3. Fernanda: ....
4. Loreto: ....
5. Carmiña: ....

② Los fines de semana

¿Sueles hacer alguna de estas cosas los fines de semana?
Coméntalo con tus compañeros.

	normalmente	a veces	(casi) nunca
Voy a algún concierto.			
Voy al teatro.			
Voy al cine.			
Voy a tomar algo.			
Voy a casa de algún amigo.			
Voy a bailar.			
Voy de compras.			
Salgo a cenar.			
Quedo con mis amigos.			
Me quedo en casa viendo una peli.			
Hago deporte.			
...			

● Yo salgo con mis amigos a tomar algo, o voy al cine.
○ Yo, normalmente, los fines de semana me quedo en casa y...
■ Pues yo no me quedo casi nunca en casa.

SONORAMA ribera 16
aranda de duero | BURGOS   15/16/17 agosto

...PERSUBMARINA, **LORI MEYERS**
...RAVIS, **BELLE & SEBASTIAN**
...OLEA MORENTE Y LOS EVANGELISTAS
...OQUILLO Y AMIGOS   30 ANIVERSARIO DE EL RITMO DEL GARAJE
...ORIAN, DELAFE Y LAS FLORES AZULES
...STANDSTILL presenta **CENIT, XOEL LOPEZ, L.A.**
...34, ALIS, ARSENAL, AUTUMN COMETS, BANDA DE TURISTAS, BUFFET LIBRE
CAPSULA, CYAN, DEHRA DUN, DROW, EDREDON, EGON SODA, EL CAPITAN ELEFANTE
EME DJ LUVED, ESTEREOTYPO, GARAMENDI, HAVALINA, IGLOO, INDIES CABREADOS DJS
...IZN, JACK KNIFE, JAIME URRUTIA, JANE JOYD, KILL THE HIPSTERS, KLEIN, KUVE
...LEON BENAVENTE, LLUM, LOS MADISON, LOS MARAÑONES
...MARGOT, MCENROE, MENDETZ, MINE!
...NALES PASAJERO

VERSIÓN Y DIRECCIÓN
EDUARDO VASCO

el alcalde de
Zalamea
CALDERÓN DE LA BARCA

TEATRO

GENTE QUE LO PASA BIEN

3 **Los planes de Álvaro**
Es viernes por la tarde y Álvaro no sabe qué hacer esta noche.
Sus compañeros de trabajo hacen planes.

- ÁLVARO ES MUY AFICIONADO AL TENIS.
- NO LE GUSTAN NADA LAS DISCOTECAS.
- NO TIENE NOVIA Y LE GUSTA UNA COMPAÑERA DE TRABAJO: ELENA.
- SE CUIDA MUCHO, COCINA MUY BIEN Y NO COME NUNCA "COMIDA RÁPIDA".
- NORMALMENTE, LOS VIERNES SALE CON ALGÚN AMIGO A TOMAR ALGO.
- LE ENCANTA LA MÚSICA E IR A CONCIERTOS, ESPECIALMENTE DE JAZZ.

GALA MENÚ GASTRONÓMICO con música clásica

HABANA CLUB

Copas

Salsa y jazz en vivo

Hasta las 3h de la madrugada
MÚSICA EN DIRECTO
HOY VIERNES: Nueva Orleans Trío

Mahón, 21
(metro: Bilbao / bus 45 y 32)

OXIDO

MÚSICA ELECTRÓNICA.
DJs OLIVER
HASTA LAS 5h.

FINAL MASCULINA *EUROSPORT*
US OPEN Viernes 23 h

EL REY DEL BUEY

Hamburguesas, pizzas y mucho más

Actividades

A Fíjate en la información que tienes sobre Álvaro. ¿Cuáles de las actividades o de los lugares anunciados se corresponden con sus gustos?

B Ahora escucha las conversaciones de sus compañeros de trabajo. ¿Puede quedar con alguno? ¿Con quién?

13-16

	Sí	No	¿Por qué?
con Bibiana y Eva			
con Elena			
con Fernando y Álex			
con Raúl y sus amigos			

C ¿Para qué crees que sirven las siguientes fórmulas?

¿Qué haces esta noche?
¿Por qué no...?
No puedo, es que...
Me gustaría ir a...
¿Te apetece ir a...?

Para rechazar una invitación.
Antes de proponer una cita.
Para expresar el deseo de hacer algo y proponer un plan.
Para proponer una actividad concreta.

4 **¿Qué película es?**

En parejas, vais a preparar la descripción de dos películas que creéis que pueden conocer vuestros compañeros. Después cada pareja presenta sus películas y los demás tienen que adivinar el título.

● Es un drama y sale *Cate Blanchett*. Va de una mujer de Nueva York que tiene muchos problemas y se va a vivir con su hermana a San Francisco.
○ Ni idea... ¿Quién es el director?
● Es de Woody Allen.
■ Ya lo sé... ¡Es *Blue Jasmine*!

5 **Nuestras películas favoritas**

Ahora vais a crear una lista con las tres películas favoritas del grupo. No importa si los títulos no son los mismos que los de la actividad anterior.

● ¿Habéis visto *Lo imposible*? Va del tsunami de Tailandia.
○ Sí, sí, me encantó. Es muy buena.
■ A mí también.

BASADO EN UNA EXTRAORDINARIA HISTORIA REAL

NAOMI WATTS EWAN McGREGOR

LO IMPOSIBLE
UNA PELÍCULA DE J.A. BAYONA
11 OCTUBRE 2012

6 **Lugares y actividades recomendados**

A. Piensa en lugares y en actividades que puedes recomendar a tus compañeros en el lugar donde estudiáis.

un local con música en directo   un espectáculo   una tienda
un restaurante   un bar   una película de la cartelera   una calle para pasear
una discoteca   un concierto   un museo

● Yo os recomiendo la pastelería Mallorca. Es increíble. Estuve el verano pasado y comí unos pasteles buenísimos.
○ ¿Ah, sí? ¿Dónde está exactamente?
● Por el centro hay varias. Hay una en la calle Serrano.

B. Ahora, queda con un compañero para ir a alguno de los lugares de los que habéis hablado.

● ¿Te apetece ir al bar que nos ha recomendado David?

7 **Excusas y pretextos**

En papeles sueltos escribe dos propuestas y dos excusas para rechazarlas. El profesor recogerá todos los papeles y los repartirá mezclados. Un estudiante leerá su propuesta y otro, la excusa más apropiada.

¿Te apetece ir al cine esta tarde? A mí me gustaría ver una película de aventuras.

Me encantaría, pero esta tarde no me viene bien. Es que tengo que ir al médico...

VALORAR ESPECTÁCULOS

● **¿Habéis visto** *Piratas del Caribe*?
○ Yo **no la he visto.**

■ Yo sí, **es...**
  buenísima / divertidísima / genial...
  (bastante) **buena** / interesante...
  un rollo.
  muy mala.

■ Yo sí, **está...** (muy / bastante) **bien / mal.**

■ **A mí**
  me encantó.
  me gustó (mucho / bastante...).
  no me gustó nada.

● **Es un tipo de**
  concierto
  teatro
  cine
  música
  que me entusiasma.
  que no soporto.

● **No soporto ese tipo de**
  películas.
  teatro.

DESCRIBIR UNA PELÍCULA

● **Es**
  una comedia.
  un drama / thriller.
  una **película de** acción / guerra / terror / aventuras / ciencia ficción.
  romántica.
  policíaca.

● **El director es**
  Es una película de Alejandro Amenábar.

● **El protagonista es** Antonio Banderas.

● **Sale** Salma Hayek.

● **Trata de**
● **Va de** un chico que quiere bailar...

PONERSE DE ACUERDO PARA HACER ALGO

Preguntar a los demás

● **¿Adónde podemos ir?**
● **¿Qué te/le/os/les apetece hacer?**
● **¿Adónde te/le/os/les gustaría ir?**

Proponer

● **¿Por qué no** vamos al cine?
● **¿Y si** vamos a cenar por ahí?
● **¿Te/os/le/les apetece** ir a tomar algo?

Aceptar

● **Vale.**
● **Buena idea. Me apetece.**

Excusarse y rechazar

● **Es que**
  hoy **no puedo.**
  esta noche **no me va bien.**

QUEDAR/QUEDARSE

- ¿**Quedamos** en la Puerta del Sol a las ocho?
- Esta tarde **me quedo** en casa estudiando.

DESEOS DE HACER ALGO

- Me gustaría ⎤ dormir todo el día.
  ─────── ⎥ ir a nadar.
- Me apetece ⎥ ir a un concierto de jazz.
  ⎦ ver esa película.

Apetecer funciona como **gustar**.
- Me **apetece** ir al cine.
- Me **apetecen** una**s** aceituna**s**.

CONSULTORIO GRAMATICAL
Páginas 126-129 ▶

8 **Un domingo ideal**

17-19

A. Vas a escuchar a varios españoles describiendo su domingo ideal. ¿De cuáles de estos momentos hablan?

	hora de levantarse	desayuno	durante la mañana	comida	después de comer	durante la tarde	cena	por la noche
1								
2								
3								

B. Imagina ahora que el próximo domingo puedes hacer todo lo que más te gusta. ¿Qué harías? Piénsalo un poco y, luego, cuéntaselo a tus compañeros.

● Yo me levantaría tarde, a las once, y desayunaría en la cama...

9 **Me quedo en casa viendo la tele**

A. ¿Con qué tipo de programas de televisión relacionas las imágenes?

telenoticias debates documentales series concursos magazines telenovelas y culebrones películas dibujos animados *reality shows* programas de entrevistas / del corazón / de cocina / de música / de deporte...

B. ¿Ves la tele? ¿Qué tipos de canales (de noticias, de música, de series...) y qué tipo de programas te gustan? Coméntalo con tus compañeros.

● Yo veo bastante la tele. Me encantan los *reality* y los programas del corazón.
○ Yo, no mucho. Solo canales de noticias.
■ Yo la veo en internet. Sobre todo, programas de humor...

10 Un fin de semana en Santiago

A. Vamos a planificar un fin de semana en Santiago de Compostela. Lee la información y decide, primero individualmente, qué te gustaría hacer.

Santiago de Compostela

Excursiones y visitas

Tour Gastronómico
Para conocer a fondo las claves de la cultura gastronómica gallega

El tour gastronómico es una visita guiada a tiendas de alimentación tradicionales. Además, recorre el popular Mercado de Abastos, que es el segundo lugar más visitado después de la Catedral. La visita incluye la degustación de productos 100% gallegos.
Inicio de la visita: 10 h.
Duración: 2 h.

Ruta de tapas
De tapas por las calles con más historia de la ciudad

Ruta por las calles que rodean la Catedral, donde en decenas de viejas tascas y restaurantes se sirven tapas y cocina tradicional. Entre las 20.30 y las 22 h, cuando hay más público, es el momento clásico para tomar unos vinos.

Tour Nocturno
Descubre Santiago de noche

Descubre, paseando con un guía, los principales atractivos de Santiago por la noche y la ciudad iluminada. Entra en los silenciosos claustros del Hostal de los Reyes Católicos y conoce algunas de las zonas más animadas de la vida nocturna compostelana. La visita termina en un pub, con la degustación de una popular *queimada*.

Tren turístico
Otra forma de ver la ciudad

Todos los días, salidas cada hora de 11 a 20 h.
Duración: 45 minutos

Centro Gallego de Arte Contemporáneo

Interesante edificio diseñado por el arquitecto portugués Álvaro Siza. Exposiciones, conferencias, performances, cine y talleres sobre arte y artistas internacionales y gallegos de las últimas décadas.
Horario: de 12 a 21 h.

Salir de noche

Sala Capitol
Este sábado: concierto de Iván Ferreiro.
El mítico líder de Los Piratas presenta su nuevo disco en solitario.
22 h. Venta anticipada: 20 €. En taquilla: 25 €.
www.salacapitol.com

Bar Tolo
Música: punk rock, hardcore.
Rúa da Fonte de San Miguel, 8.

Casa das Crechas
El templo de la música folk en Santiago.
Vía Sacra, 3.

De compras

Mercado da Chuvia
El segundo sábado de cada mes se celebra este mercado, en el que encontraremos productos artesanos elaborados en tela, cuero, barro, bronce o madera. Además, hay talleres y espectáculos.
Centro Comercial Área Central (Fontiñas)
2º sábado de cada mes: de 11 a 21 h.

La "Zona Vieja"
Por el centro histórico de la ciudad se puede encontrar de todo: mercadillos, tiendas de recuerdos, de moda gallega, artesanía típica, librerías, tiendas gastronómicas...

La "Zona Nueva"
Esta es la parte de la ciudad más cosmopolita y en ella encontraremos la mayoría de marcas de moda internacionales y españolas, tiendas de regalo, joyerías y boutiques, zapaterías...

Plaza del Obradoiro

OS SERÁ ÚTIL...

Dónde y cuándo

- El concierto **es en** la Sala Capitol.
- El concierto **es a** las 22 h.

Para concertar una cita

- ¿**Cómo**
- ¿**A qué hora** | quedamos?
- ¿**Dónde**

- ¿**Quedamos** en mi hotel?

- ¿**Te/os/ le/les** | **va bien** | ... delante del museo?
  ... a las seis?
  ... el sábado?

Para proponer otro lugar u otro momento

- (**Me iría**) **mejor** | ... más tarde.
- **Preferiría** | ... por la tarde.
  ... en el centro.

Para hablar de una cita

- **He quedado a** las 3 h **con** María **en** su hotel **para** ir a pasear por el centro.

B. Ahora, escucha a estas personas que planifican su estancia en Santiago y anota otras actividades posibles. ¿Quieres añadir algo a tu plan inicial?

C. En grupos de tres, poneos de acuerdo en un plan común para el sábado (mañana, tarde y noche). Decidid:

→ qué vais a visitar
→ adónde vais a ir por la noche
→ cuánto tiempo vais a dedicar a cada cosa
→ a qué hora y dónde vais a quedar (estáis alojados en los tres hoteles señalados en amarillo)

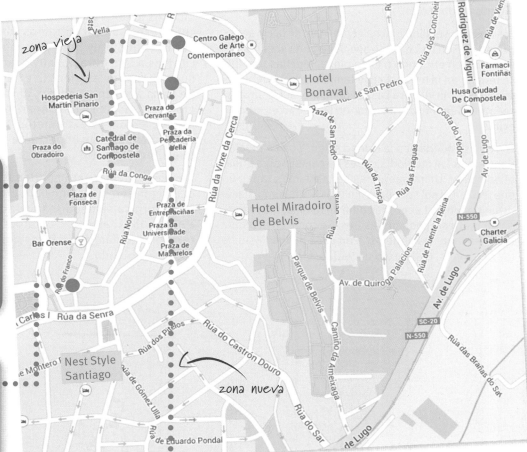

Centro Gallego de Arte Contemporáneo

Rúa do Franco

Mercado de Abastos

11 El próximo sábado

¿Y en el lugar donde estamos estudiando español? ¿Qué se puede hacer el próximo fin de semana? Comentadlo y anotad las propuestas más interesantes. También podéis buscar información (en internet o en la prensa) sobre la oferta de ocio de alguna ciudad donde se habla español.

FIN DE SEMANA EN LA CALLE

A los extranjeros que visitan España les llama mucho la atención la cantidad de gente que hay en la calle. Y la cantidad de bares.

Es, seguramente, la versión urbana moderna de la tradición mediterránea del ágora, de la plaza como lugar de encuentro. Y es que el "hobby nacional" es, sin duda alguna, hablar. Se habla en la calle, en los restaurantes, en las terrazas, con los amigos o con la familia. Y se habla generalmente en torno a una mesa, o en una barra de bar, casi siempre bebiendo o comiendo.

Los fines de semana mucha gente huye de las grandes ciudades. Son muchos los que tienen una segunda residencia, en el campo o en la playa. Muchas familias se reúnen en la antigua casa familiar, en el pueblo. El problema es la vuelta a casa el domingo. Sufrir un atasco impresionante para entrar en la ciudad es casi inevitable.

Los que se quedan en la ciudad salen. Y salen mucho. Por ejemplo, al mediodía, antes de comer, van a tomar el aperitivo. Un paseo, unas cañas y unas tapas en una terraza al sol son, para muchos, el máximo placer de un domingo. Luego, se come en familia, muy tarde, sobre las tres o pasadas las tres. Se come en la propia casa, en la de los abuelos, o en casa de los tíos o de los hermanos. O si no, en un restaurante.

Las tardes de los sábados muchos las dedican a ir de compras o, simplemente, a dar un paseo por las zonas comerciales.

Las noches de los viernes y de los sábados las ciudades están también muy animadas y hay tráfico hasta la madrugada: gente que va o que viene de los restaurantes, gente que entra o sale de los espectáculos y grupos de jóvenes que van a bailar, a tomar algo o se quedan charlando en la calle.

Otra de las cosas que puede sorprender al visitante es lo poco planificado que está el ocio. Muchas veces nos encontramos con alguien, sin haber decidido muy bien qué vamos a hacer. Nos citamos a una hora no muy exacta ("a eso de las nueve", "sobre las diez"...) y luego "ya veremos". Se toma algo en un sitio y, al cabo de un rato, el grupo se traslada a otro lugar, lo que también sorprende a muchos extranjeros. Y es que, para los españoles, es más importante con quién se está que dónde se está.

También el deporte es importante, y son muchos los que organizan su tiempo libre y sus fines de semana en torno a su deporte favorito: ir en bicicleta o a correr, jugar al tenis o al fútbol, esquiar o practicar deportes náuticos... Pero, ojo, siempre con amigos... Y hablando.

Domingo por la mañana en la Casa de Campo

La hora del aperitivo en la plaza Santa Ana

De noche en la Gran Vía

12 Fin de semana en España

Observa la ilustración y las fotos. ¿Qué actividades de ocio reflejan?

13 Fin de semana en tu país

Lee el texto. ¿Qué es igual y qué es diferente en tu cultura? ¿Qué suele hacer la gente los fines de semana? Ponte de acuerdo con un compañero.

● Yo creo que la mayoría de jóvenes por las noches van a discotecas.
○ Sí, pero no todos...

3

Vamos a escribir un capítulo de una novela de suspense.

Para ello, aprenderemos:

– a leer y a escuchar textos en forma de relato,
– a referirnos al pasado, informando sobre sucesos y sobre circunstancias,
– a situar un suceso en el tiempo,
– el pretérito imperfecto: formas y usos,
– el contraste entre el indefinido y el imperfecto,
– el pretérito pluscuamperfecto: formas y usos,
– **estar** + gerundio en pasado.

gente de novela

1 Una buena coartada

A. Imagina que a tu profesor lo secuestraron el sábado pasado y que, afortunadamente, lo liberaron el lunes. El policía que investiga el caso, el inspector Carvajal, ha empezado a interrogar a varios sospechos. Escucha y toma notas de cómo dan sus coartadas.

B. El inspector Carvajal sospecha también de los alumnos de la clase, así que va a interrogaros a todos. ¿Qué hiciste tú durante el fin de semana? Prepara tus coartadas.

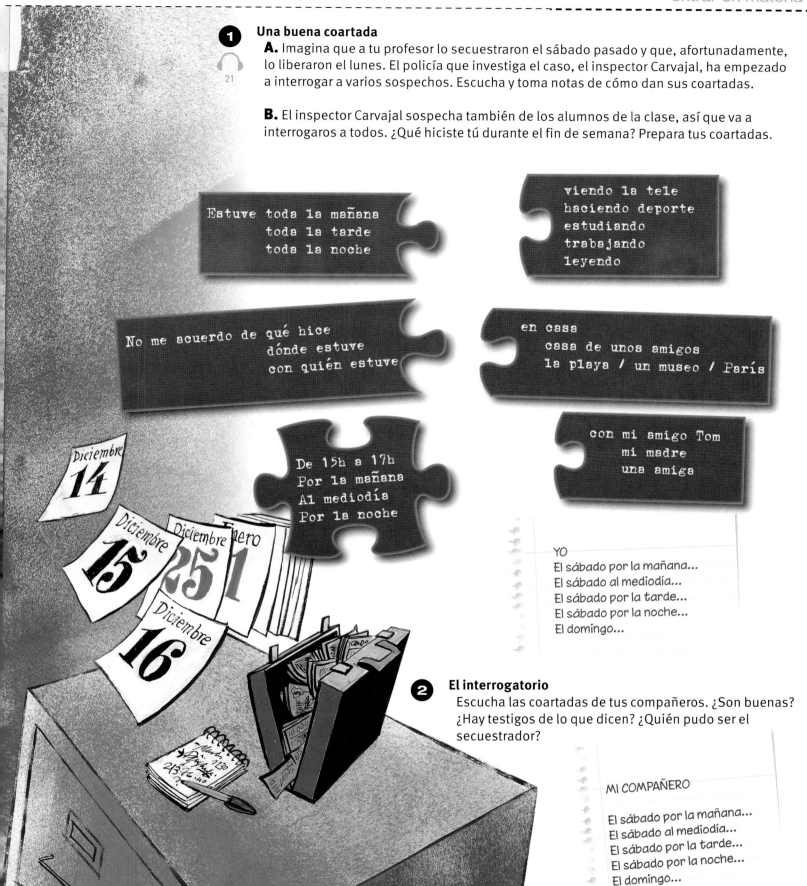

Estuve toda la mañana
toda la tarde
toda la noche

viendo la tele
haciendo deporte
estudiando
trabajando
leyendo

No me acuerdo de qué hice
dónde estuve
con quién estuve

en casa
casa de unos amigos
la playa / un museo / París

De 15h a 17h
Por la mañana
Al mediodía
Por la noche

con mi amigo Tom
mi madre
una amiga

YO
El sábado por la mañana...
El sábado al mediodía...
El sábado por la tarde...
El sábado por la noche...
El domingo...

2 El interrogatorio

Escucha las coartadas de tus compañeros. ¿Son buenas? ¿Hay testigos de lo que dicen? ¿Quién pudo ser el secuestrador?

MI COMPAÑERO

El sábado por la mañana...
El sábado al mediodía...
El sábado por la tarde...
El sábado por la noche...
El domingo...

3 **Una maleta misteriosa**

El miércoles pasado se encontró una maleta en extrañas circunstancias.

Aparece una maleta misteriosa

Madrid, jueves 8 de enero

Ayer por la tarde apareció en unos conocidos almacenes madrileños una maleta que desconcertó a todo el mundo.

A las 17 h, un cliente que estaba en la sección de ropa interior masculina avisó a un dependiente de que había una maleta abandonada en los probadores. Los servicios de seguridad desalojaron inmediatamente toda la planta que, en ese momento, estaba llena de compradores porque habían empezado las rebajas de enero. Los expertos en la desactivación de explosivos de la policía llegaron al poco rato para analizar el contenido de la maleta sospechosa. Afortunadamente, no contenía ningún explosivo.

Actividades

A Mira las imágenes y lee el titular de prensa. ¿Qué crees que sucedió la tarde del miércoles 7 de enero? Haced hipótesis y, luego, leed todo el texto para comprobarlas.

● A lo mejor alguien se dejó olvidada una maleta.
○ O quizás el propietario tuvo que irse porque...

B ¿Recuerdas cómo funcionan los tiempos del pasado en español? Subraya todos los verbos en pasado en la noticia y completa la tabla. Ojo: hay un tiempo nuevo, el pretérito pluscuamperfecto.

	Verbos del texto	Correspondencia con tu lengua
Pretérito indefinido	apareció	
Pretérito imperfecto		
Pretérito pluscuamperfecto	habían empezado	

④ Más noticias
La policía ha seguido investigando.

La policía confirma el sorprendente contenido de la maleta misteriosa

Madrid, viernes 9 de enero

Ayer jueves, la policía informó, en rueda de prensa, de que la maleta que había aparecido el miércoles en unos grandes almacenes tenía un contenido sorprendente. En el interior la policía descubrió, entre otros objetos, dos sobres con un millón de euros cada uno, un esmoquin, una peluca rubia, un pasaporte falso, dos billetes de avión a un paraíso fiscal, las Islas Caimán, y un ordenador portátil, cuyo contenido están analizando. No había ningún tipo de explosivo.

La policía localiza y detiene al propietario de la maleta de los grandes almacenes

Madrid, sábado 10 de enero

Anoche, la Policía Nacional confirmó la identidad del propietario de la misteriosa maleta aparecida en unos grandes almacenes de la capital. Al parecer, se trata del famoso mago Max Abra. Según la Policía Nacional, y en base al contenido del ordenador portátil, el mago había mantenido últimamente contactos frecuentes con un clan mafioso internacional y con el diputado de las Cortes Eduardo Barril, actualmente imputado en un caso de corrupción urbanística. En concreto, el mago había actuado en la fiesta de cumpleaños del diputado unos días antes. El mago apareció la tarde del jueves en el Parque del Retiro. Aparentemente, había sido víctima de un "secuestro relámpago". Maruja Villegas, la anciana que lo descubrió, declaró a este periódico: "Yo estaba tranquilamente paseando a mi perro. Era un día precioso… Oí un ruido raro detrás de unos arbustos y me acerqué. Era un hombre de unos 40 años. Estaba atado a un árbol y llevaba un pijama de rayas. Me pareció todo un poco raro. Él parecía muy asustado. Y entonces llamé a la policía…"

Actividades

Ⓐ En pequeños grupos, imaginad lo que puede haber pasado a partir de todos los datos que tenemos.

💬 ● Yo creo que el mago trabajaba para… y entonces…

Ⓑ Toma notas sobre la noticia que ha dado la radio sobre el asunto. ¿Coincide en algo con la historia que habéis imaginado?

🎧 22

Ⓒ ¿Y tú? ¿Has perdido o encontrado alguna vez una cosa importante o curiosa? ¿Qué pasó?

💬 ● Yo, una vez, encontré una mochila en el autobús. Volvía a casa por la noche y vi la mochila debajo del asiento. Entonces miré lo que había dentro y…

❺ La cámara de seguridad

A. Varias cámaras de seguridad han captado los detalles del secuestro en diversos lugares. Describe las fotos de la izquierda y relata los vídeos de la derecha en pasado. ¿Qué tiempo usas en cada columna y por qué?

TIEMPO VERBAL: ....

TIEMPO VERBAL: ....

Y entonces...

Y entonces...

Y entonces...

B. Compara tus respuestas con las de un compañero. ¿Coincidís?

❻ Unas horas antes

A. El inspector Carvajal ha reconstruido los hechos antes del secuestro. Explícalos tú en orden cronológico usando el indefinido y conectores temporales (**al cabo de, después, inmediatamente**...).

1. Sale de su casa a las 9.15 h.
2. A las 10.15 h se reúne con el diputado Eduardo Barril (Hotel Palace).
3. A las 11 h coge un taxi. Va de Pl. Neptuno a Calle Serrano 10.
4. Se compra ropa en una tienda. 11.30 h.
5. Se encuentra con la señora Barril sobre las 12 h.
6. Se corta el pelo en una peluquería sobre las 12.15 h.
7. A las 14.30 h se encuentra con Mario Rulfo en el restaurante El pirata.
8. Este le entrega un sobre.
9. Llega a los grandes almacenes aproximadamente a las 16.30 h.
10. Hora del secuestro: 17 h.

B. Ahora construye el relato en este orden, con los conectores adecuados y usando el pretérito pluscuamperfecto cuando sea necesario.

– 2 + 1 : A las 10:15 h se reunió con Barril. Una hora antes había salido de su casa.

– 4 + 3: ....

– 5 + 6: ....

– 8 + 7: ....

– 9 +10: ....

– 5 + 4: ....

– 10 + 9 : ....

SITUAR EN EL TIEMPO

Momento mencionado

en aquel momento

aquel día

a aquella hora

Momento anterior

un rato / dos horas / unos días **antes**

la noche anterior

el día anterior

Momento posterior

al cabo de un rato

una hora
unos días ⎤ **después**
unos minutos ⎦ **más tarde**

el día siguiente

Momentos consecutivos.

enseguida   **inmediatamente**

ACORDARSE, SUPONER

● ¿Dónde estaba a aquella hora?
○ Estaba en casa.
   En casa, **supongo / creo / me parece**.
   No me acuerdo (de dónde estaba).
   No tengo ni idea.

● ¿**Está seguro/a de que** estaba allí?
○ Sí, (estoy) **seguro/a**.
   Sí, **segurísimo/a**.
   Sí, **creo que sí**.

HORAS APROXIMADAS

sobre las 10 h

a las 10 h **aproximadamente**

a las 10 h **más o menos**

entre las 10 h **y las** 12 h

PREGUNTAS

● ¿**Qué** hizo anoche?
● ¿**Dónde** estuvo anoche?
● ¿**A dónde** fue anoche?
● ¿**Cuándo** llegó al hotel?
● ¿**A qué hora** se despertó?
● ¿**Con quién** estuvo anoche?

CONSULTORIO GRAMATICAL
Páginas 130-135 ▶

---

7 **Unos años después**

A. Unos años después, el mago Max Abra escribe una novela basada en sus experiencias. En parejas, ayudadle a completar el texto con las circunstancia de la lista. Puede haber varias soluciones.

Recuerdo que aquel día salí bastante pronto de casa, sobre las 9 h. (…) Miré el cielo. (…) ¡Qué día tan importante! -pensé. (…)

A las 10.15 h me reuní con Eduardo, el diputado, que me entregó un sobre. (…) Tomé un taxi y me dirigí al barrio de Salamanca. (…) Allí me metí en una tienda y compré algo de ropa.
   -¿Se va de vacaciones? -me preguntó el vendedor.
   -Sí, unas vacaciones muy largas… -respondí yo. (…)

Al salir de la tienda, busqué una peluquería y entré. (…) Luego, llegó ella. (…) Me dio los billetes de avión. (…) Quedamos en encontrarnos en el aeropuerto y nos despedimos con un beso apasionado.
   -Todo va a salir bien, mi amor -le dije. (…)

(…) Fui al restaurante italiano. (…) Comí con él y recogí la segunda parte del dinero. (…)
Dos horas después, cuando vi a los dos encapuchados en el probador, supe que era el fin. (…)

(…)

PARA DESCRIBIR LAS CIRCUNSTANCIAS

1. Tenía que cambiar mi aspecto.
2. Estaba guapísima.
3. Parecía un poco nerviosa.
4. Ella los había recogido.
5. Eran las 14h. Y solo quedaba el momento más peligroso.
6. Estaba azul.
7. Tenía muchas cosas que hacer.
8. ¡Era el último día de aquella vida!
9. Dentro había un millón de euros.
10. ¿Todavía confiaba en mí?
11. Me sentía tan bien…Tan feliz…
12. Estaba sorprendido por mi elección: todo ropa de verano muy cara.
13. No había mucho tráfico.
14. Había otro millón.
15. Mario Rulfo tenía que darme el segundo sobre para blanquearlo.
16. Nos habían descubierto: a mí, a Lola, la mujer del diputado, y nuestros planes de libertad. Sabían que les queríamos traicionar.

23

B. Escucha ahora cómo el mago lee su propia versión. ¿Coincide con la vuestra?

8 Un capítulo de una novela

En grupos, vamos a inventar el capítulo de una novela de intriga a partir de esta historia ilustrada. Primero, describimos las doce viñetas en presente y preparamos el vocabulario que vamos a necesitar. Podemos añadir hechos o circunstancias.

● Es la recepción de un hotel y se ve a una mujer que entra.
○ Y también hay un hombre leyendo el periódico. Parece que...

9 **El argumento**
Decidimos las circunstancias y los hechos fundamentales de la historia. Podemos añadir dos o tres viñetas más al final de la historia, con el boceto de la imagen y el relato.

LOS PERSONAJES

¿Quiénes son? Inventad los nombres y la relación entre ellos.

EL PUNTO DE VISTA

¿Quién contará la historia en el capítulo?
- La chica
- El hombre
- Un narrador
- El personaje que habla por teléfono con la chica

EL CONTEXTO

¿Dónde sucede la historia?
¿En qué época?
¿Qué había pasado antes?

10 **El capítulo de nuestra novela**
A. Escribimos en pasado el capítulo con todos los detalles: la acción, las descripciones de los lugares y de los personajes, los diálogos, etc.

La recepción del hotel estaba casi vacía. Solo un par de turistas estaban pagando la cuenta. Yo estaba sentado leyendo el periódico y disimulando. Entonces...

B. Cada grupo lee o presenta su capítulo. ¿Cuál es el más intrigante? ¿El más sorprendente?

PEPE CARVALHO,

MÁS QUE UN DETECTIVE

Fue miembro del Partido Comunista y agente de la CIA, vive en las colinas que rodean Barcelona y trabaja en el Barrio Chino, al lado de las Ramblas. Es un gran *gourmet*, le gusta cocinar y quema libros para encender su chimenea. Sus mejores interlocutores son un limpiabotas, un ex presidiario y una prostituta. Viajó a Bangkok, se metió en los laberintos del deporte profesional y de los premios literarios, participó en las crisis del Partido Comunista, en las Olimpiadas de Barcelona y en la búsqueda de un ex director corrupto de la Guardia Civil. Trabajó en los bajos fondos y para la alta burguesía. Investigó los entresijos de los medios de comunicación y de la guerra sucia argentina, entre otras muchas aventuras. Hace años que es uno de los personajes más populares de la literatura española y el protagonista de la serie más traducida a otras lenguas.

Y es que Carvalho, ese detective tan atípico, es más que un personaje de serie negra. Y sus historias son mucho más que simples tramas policíacas. Se trata de una lúcida y compleja crónica de la sociedad española y de su transformación. Su creador, Manuel Vázquez Montalbán, siempre comprometido con la realidad que le rodeaba, la fue construyendo durante más de dos décadas: las historias de Pepe Carvalho (*Tatuaje, La soledad del manager, Los mares del sur, Asesinato en el Comité Central, Los pájaros de Bangkok, El delantero centro fue asesinado al atardecer, La rosa de Alejandría, Quinteto de Buenos Aires*...) son libros indispensables para todos aquellos que quieran conocer y entender la España contemporánea.

El escritor Manuel Vázquez Montalbán (1939-2003) fue, además de novelista, poeta, ensayista y periodista comprometido política y socialmente. Muestra de ello es su obra póstuma *La aznaridad*.

—Soy bastante buen cocinero.
— Y lector.
—Apenas si ojeo los libros, sin hache. Hojearlos, con hache, representaría un esfuerzo excesivo. Me gusta guardarlos y quemarlos.

(Quinteto de Buenos Aires)

—¿No eres policía?
—Detective privado.
—¿No es lo mismo?
—La policía garantiza el orden. Yo me limito a descubrir el desorden.

(Quinteto de Buenos Aires)

Luego empezó a (...) moverse entre materias concretas en busca de la magia de la transformación de los sofritos y las carnes, esa magia que convierte al cocinero en ceramista, en brujo que gracias al (...) consigue convertir la materia en sensación. (...) Telefoneó al gestor Fuster, su vecino.
—Me pillas en la puerta. ¿Es por lo de los impuestos?
—Ni por asomo. Te invito a cenar.
—Pues piensa en los impuestos. Te cae el segundo plazo el mes que viene. Menú.
—Pimientos rellenos de marisco. Espalda de cordero rellena. Leche frita.
—Demasiado relleno, pero no está mal. Iré.

(El delantero centro fue asesinado al atardecer)

Manuel Vázquez Montalbán
Quinteto de Buenos Aires

El nuevo Carvalho

Manuel Vázquez Montalbán
SERIE CARVALHO

El delantero centro fue asesinado al atardecer

Planeta

11 Un detective atípico

A. Tras leer los tres fragmentos, ¿cómo imaginas que es Carvalho?

B. En la literatura de tu país, ¿existe algún personaje de novela tan popular? ¿Cuál es? ¿Se parece a Carvalho?

12 Una novela para compartir

¿Has leído recientemente alguna novela? Si recuerdas el argumento, resúmelo brevemente para tus compañeros. Prepáralo primero por escrito. Fíjate en que el argumento de los libros se explica en presente.

● Trata de un chico que un día conoce a una chica en un parque y...

4

Vamos a crear una campaña para la prevención de accidentes o de problemas de salud.

Para ello, aprenderemos:

- a referirnos a estados físicos y a enfermedades,
- a advertir de peligros,
- a dar consejos y recomendaciones,
- los artículos para referirse a partes del cuerpo,
- el uso impersonal de **tú**,
- el imperativo (formas regulares e irregulares y algunos de sus usos),
- conectores para contraponer ideas y para expresar causa,
- los adverbios en -**mente**.

Salud y dispositivos móviles

Los teléfonos inteligentes y las tabletas invaden nuestras vidas. Prácticamente todos llevamos siempre uno (o dos) y los usamos a todas horas. Estos dispositivos han cambiado nuestra forma de comunicarnos: a través de aplicaciones y redes sociales podemos comunicarnos con cualquier persona, en cualquier lugar, a cualquier hora del día. Esto tiene muchas ventajas, pero también inconvenientes para nuestra salud y para nuestra vida.

La luz de la pantalla y la vista

Estos dispositivos perjudican mucho la vista. Emiten la misma luz que un televisor, pero se miran desde una distancia mucho menor. Para proteger los ojos, coloca un filtro en la pantalla de tu teléfono, tableta o videoconsola portátil.

Dolor de espalda y cuello

Si estás mucho tiempo en una posición forzada, puedes sufrir dolor de espalda o cervicales. Siéntate bien y apoya el dispositivo en algún lugar. Para evitar problemas en los dedos, usa el móvil con las dos manos.

gente sana

Si conduces, no uses el móvil

Usar el móvil cuando conduces multiplica por cuatro las posibilidades de tener un accidente. Escribir un mensaje te hace apartar la mirada de la carretera cinco segundos. Al volante, guarda el móvil.

Depresión, ansiedad e insomnio

¿Vives enganchado al teléfono o la tableta? Si es así, puedes tener problemas psicológicos. No los uses en la cama.

Apaga el wifi

Las redes inalámbricas emiten radiaciones electromagnéticas nocivas para todos, pero en especial para los niños. Desconecta el wifi por la noche.

Tabletas, móviles y vida social

Relaciones sociales

Estar siempre pendiente del móvil altera las relaciones y la comunicación con el entorno. Cuando estás hablando con alguien, no respondas llamadas y no envíes o leas mensajes.

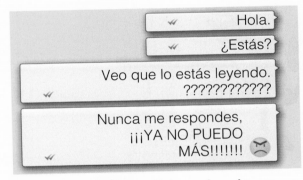

Disponibilidad y vida privada

Cualquier persona puede saber si estás o no conectado. Puede ver a qué hora te has acostado, o dónde estás. Si has leído o no sus mensajes. Esto puede invadir tu vida privada. No estés siempre "disponible".

1 **¿Móviles inteligentes?**

¿Qué ventajas y qué problemas tienen los teléfonos móviles y las tabletas? Antes de leer el texto, miramos las imágenes y hacemos una lluvia de ideas.

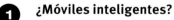 ● Una ventaja es que siempre tienes internet y casi en cualquier lugar.

2 **¿Usas el móvil de forma sana?**

A. Lee el artículo. ¿Qué cosas haces bien y cuáles no? ¿Tienes otras recomendaciones?

B. ¿Conoces otros peligros de las nuevas tecnologías de la comunicación?

 ● A veces, las redes sociales pueden ser un poco adictivas, ¿no?
○ Sí, y además...

3 **Me duele la espalda**

Trabajar muchas horas con el ordenador puede causar problemas de salud.
Esta es una campaña para prevenirlos.

Cómo mejorar nuestra salud frente al ordenador

EL CANSANCIO EN GENERAL

Síntomas

¿Te sientes cansado cuando estás un rato frente al ordenador?
¿Te duele la espalda? ¿Te duele el cuello? ¿Te duelen los brazos?
¿Tienes las piernas y los tobillos hinchados?

Recomendaciones

- Siéntate cómodamente: ajusta la silla a la altura adecuada y busca una posición natural.
- No trabajes con la cabeza mirando hacia un lado y con el cuello demasiado girado.
- No tengas las rodillas más altas que la cadera.
- Pon los pies en el suelo (no los pongas hacia atrás).
- Levántate para caminar un poco de vez en cuando.
- Haz pequeños ejercicios con el cuello, los tobillos y los hombros cada hora.

EL CANSANCIO DE LA VISTA

Síntomas

¿Te duele la cabeza cuando usas el ordenador?
¿Tienes los ojos irritados?
¿No ves bien al mirar fuera de la pantalla?

Recomendaciones

- No trabajes con textos de color sobre fondos oscuros.
- Ajusta el tamaño de la letra para una lectura cómoda.
- Descansa un poco la vista de vez en cuando.
- No estés más de 30 minutos seguidos mirando la pantalla fijamente.
- No pongas el monitor más brillante que el entorno.

Pasamos muchas horas delante del ordenador. Por eso es importante evitar malas posturas y hacer un descanso adecuado.

LA MEJOR PREVENCIÓN: UNA BUENA POSTURA

PROBLEMAS CON EL RATÓN

Síntomas

¿Te duelen las muñecas?
¿Notas un hormigueo en las manos?
¿Se te hinchan las manos?

Recomendaciones

- De vez en cuando, estira los brazos, aprieta los pulgares con los demás dedos y mueve las muñecas hacia abajo durante 10 segundos.
- Extiende los brazos con los dedos abiertos, apoya las manos contra una pared y empuja suavemente durante diez segundos.
- Evita las posiciones forzadas de las muñecas.

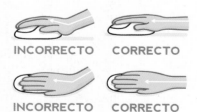

INCORRECTO CORRECTO

INCORRECTO CORRECTO

Actividades

A Antes de leer, haz una lista de los problemas que podemos tener si trabajamos con ordenadores.

B Las recomendaciones del texto se formulan con imperativos. Clasifícalas en una tabla como esta y observa las diferencias.

formas afirmativas	formas negativas
descansa	no trabajes

C ¿Tienes más recomendaciones sobre el tema? En parejas, formuladlas usando imperativos.

D Muéstrale a un compañero cómo te sientas ante el ordenador. Él te dirá si lo haces correctamente.

4 Problemas de salud en vacaciones

Vas a escuchar a varias personas que han tenido problemas de salud durante sus vacaciones. ¿Qué les ha pasado? Completa el cuadro con la información.

24-27

	¿Qué le pasa?	¿Por qué le ha pasado?	¿Qué tiene que hacer?
1			
2			
3			
4			

5 El historial médico

A. Juanjo se ha caído y ha tenido que ir a urgencias. La enfermera le está haciendo unas preguntas. Escucha y completa su ficha.

28

Nombre: .... **Apellidos:** ....

Nº Seguridad social: ....

Edad: .... *años* **Peso:** .... *kilos* **Estatura:** ....*m* **Grupo sanguíneo:** .... +

Enfermedades: *diabetes,* ....

Operaciones: ...., *menisco*

Alergias e intolerancias: *anisakis,* ....

Medicación actual: *pastillas para la* ....

Observaciones: *paciente hipertenso*

Motivo de la visita: *dolor en* .... *producido por una caída*

B. Imagina que tienes que ir a urgencias en un país donde se habla español, ¿sabrías dar tus datos médicos? Intenta completar tu propia ficha.

C. Ahora, en parejas, vais a haceros preguntas para completar una ficha similar. Podéis inventar los datos o usar vuestros datos reales.

ESTADO FÍSICO Y SALUD

¿Cuánto pesa/s?
¿Cuánto mide/s?
¿Cuál es su/tu grupo sanguíneo?
¿Es/eres alérgico a algo?
¿Ha/s tenido alguna enfermedad grave?
¿Lo/la/te han operado alguna vez?
¿De qué lo/la/te han operado?
¿Toma/s algún medicamento?
¿Qué le/te pasa?

Lo han operado del riñón.

● (No) **me** ⎡ **encuentro bien.**
⎣ **siento bien.**

● **Estoy** cansado   ● **Soy** alérgico al marisco.
enfermo   diabético.
mareado   hipertenso.
resfriado   fumador.
afónico   ...
...

● **Tengo** ⎡ **alergia a**l polvo, la penicilina...
⎣ **intolerancia a** los lácteos.

● **Tengo problemas** para respirar bien
dormir.

● **Me duele** ⎡ **la** cabeza / **el** estómago.
⎢ **una** muela.
⎣ **aquí.**

● **Me duelen** **los** ojos / **las** rodillas.

● **Tengo dolor de** ⎡ muelas.
⎢ cabeza.
⎣ barriga.

● **Tengo** ⎡ **un** resfriado / **una** indigestión.
⎢ **la** gripe.
⎣ diarrea / náuseas / anginas...

● **Tomo** ⎡ **unas** pastillas ⎤ **para** ⎡ el insomnio.
⎣ **un** jarabe ⎦ ⎣ la tos.

● **Me pongo** ⎡ **unas** inyecciones ⎤ **para** ⎡ la anemi
⎣ **unas** gotas ⎦ ⎣ el oído.

TÚ IMPERSONAL

● Si comes demasiado, engordas.

● Cuando **tienes** la gripe, **te sientes** fatal.
(= *cualquier persona, todo el mundo*)

IMPERATIVO

Formas regulares

TOMAR

(tú)	toma	no tomes
(usted)	tome	no tome

BEBER · **VIVIR**

bebe	no bebas	vive	no vivas
beba	no beba	viva	no viva

Formas irregulares

HACER · **IR**

haz	no hagas	ve	no vayas
haga	no haga	vaya	no vaya

RECOMENDACIONES Y ADVERTENCIAS

● Si **tienes** la tensión alta
  - ... **no tomes** sal.
  - ... **no debes tomar** sal.

● Cuando **se tiene** la tensión alta
  - ... **no hay que tomar** sal.
  - ... **no es conveniente tomar** sal.
  - ... **conviene tomar** poca sal.

No tome mucha sal.

No te pongas tanta sal.

● No tomes tanto el sol, te **puedes** quemar.

● Ponte una bufanda, **puedes** resfriarte.

● **Podéis** tomar una infusión. Os sentará bien.

● Creo que **deberías** ir al médico.

● Algunos deportes **pueden** ser peligrosos para el corazón.

CONSULTORIO GRAMATICAL
Páginas 136-139 ▶

---

6 **Un foro de salud**

A. En este foro la gente comenta pequeños problemas de salud. Con un compañero, haz hipótesis sobre cuál puede ser la causa de cada problema.

gente y **salud**

Matías, 42 — Me alimento de forma sana, no bebo alcohol y no como mucho. Pero no adelgazo. ¿Qué puedo hacer? [contestar]

Ángel, 26 — Yo, en primavera, siempre me encuentro mal. Me resfrío, tengo dolor de cabeza, me duele la garganta, me pican los ojos... No sé, igual soy alérgico al polen. [contestar]

Bruna, 29 — Últimamente tengo muchos problemas para dormir. Me paso horas despierta en la cama. ¿Algún remedio mágico? [contestar]

Amalia, 33 — Cuando me levanto de golpe, de la cama o del sofá, me mareo. ¿Es normal? [contestar]

Ángeles, 37 — Por la mañana me despierto y estoy cansada. Y luego tengo sueño todo el día. No tengo energía. ¿Qué me pasa? ¿Algún consejo? [contestar]

Ubaldo, 56 — Todo el mundo dice que hay que beber mucha agua. Pero yo casi nunca tengo sed... [contestar]

Inés, 24 — Cuando voy a la playa y tomo el sol, me salen manchas. ¿Algún remedio casero? [contestar]

Paco, 49 — No puedo dejar de fumar. Sé que es muy malo pero no lo consigo. Necesito algún buen consejo. [contestar]

Sara, 18 — Cuando veo la tele mucho rato, me pican los ojos y me duele la cabeza. ¿Qué puede ser? [contestar]

● Yo creo que Amalia tiene la presión baja, ¿no?
○ O quizás está embarazada...

B. Ahora escribid consejos. Podéis formularlos usando el imperativo o **deberías** + infinitivo.

Hacer más ejercicio.
Ponerse crema.
Tomar infusiones /...
Ir al médico / al ...
Comprar ...
Comer más.../menos...
Beber...
Procurar...

-Matías, haz más deporte. Quizás deberías correr o ir en bici.

-Ángel...

C. Inventa un problema o cuenta uno que realmente tienes. Tus compañeros van a darte consejos.

7 **Una campaña de prevención**

A. Vamos a preparar una campaña para la prevención de problemas de salud. Para empezar lee este artículo: ¿las enfermedades que se mencionan existen en tu país? ¿Conoces gente con problemas de este tipo?

Los cambios sociales producen, sin duda, nuevas patologías. Vivir "atrapado" por internet, la adicción a las compras, la obsesión por las dietas o por la alimentación sana podrían ser las nuevas enfermedades de las sociedades desarrolladas.

Nuevos tiempos, nuevas enfermedades

1 Compro, luego existo

Si habitualmente se ocultan las compras realizadas al entorno familiar o hay sensación de haber adquirido impulsivamente un objeto que no es necesario, se puede estar ante un trastorno asociado. Hasta un 30% de los españoles tienen problemas de autocontrol y un 5% podrían ser adictos a las compras, según los resultados de un informe promovido por la Unión Europea sobre los problemas psicológicos relacionados con el consumo. Este es un problema frecuente que afecta más a las mujeres, aunque también se registra entre los hombres. La diferencia está en los productos que se adquieren, ya que mientras ellas optan por la ropa y las joyas, ellos prefieren la tecnología. También hay diferencias generacionales: al parecer, las generaciones jóvenes son cada vez más consumistas. Ofertas, rebajas, outlets, productos low cost y, por supuesto, la publicidad son los reclamos que nos invitan a consumir. En las sociedades desarrolladas, el hecho de comprar se ha vuelto una finalidad en sí misma.

Cómo saber si tienes un problema

- Si siempre tienes la necesidad de comprarte el último accesorio.
- Si tienes el armario lleno de ropa que no te pones nunca.
- Si vas a comprar leche y compras de todo… menos leche.
- Si estás demasiado pendiente de ofertas y trucos para ahorrar.

Algunas recomendaciones

- Aprende a distinguir entre necesidades y deseos.
- No caigas en la trampa de las rebajas y ofertas.
- Antes de ir a comprar, haz una lista con lo que necesitas y calcula bien cuánto dinero quieres gastar.
- No pases tu tiempo de ocio en centros comerciales.
- Aprende a comprar responsablemente.

(fuente: http://vidasanaweb.com.ar/salud-mental/obsesiones-y-adicciones-del-siglo-xxi/)

B. El Ministerio de Sanidad ha hecho una campaña para prevenir otro tipo de enfermedad moderna. Escucha y toma notas en tu cuaderno siguiendo el modelo.

29-30

	Campaña 1	Campaña 2
Problemas de salud		
Causas		
Cómo detectar el problema		
Recomendaciones		

C. ¿Con cuál de estos temas queréis trabajar? Podéis sugerir otros.

Los peligros del sol

La vida sedentaria

El buen uso de los medicamentos

El tabaco y las drogas

La higiene dental

La adicción a internet

Los trastornos alimentarios: obesidad, anorexia...

Los problemas de espalda

Los accidentes de tráfico

D. Ahora diseñamos la campaña.

A PREPARACIÓN DEL MATERIAL DE VUESTRA CAMPAÑA

Primero, tenéis que hacer una lista con el vocabulario que creéis que vais a necesitar para vuestra campaña (podéis consultar el diccionario y a vuestro profesor). También podéis buscar imágenes, vídeos...

B DESCRIPCIÓN DEL PROBLEMA Y RECOMENDACIONES PARA COMBATIRLO

Debéis escribir una pequeña introducción de la campaña con la descripción del problema, sus causas y sus consecuencias principales.
Tenéis que recopilar una serie de recomendaciones (qué hay que hacer y qué no se debe hacer) para combatirlo o evitarlo.
Pensad también en un eslogan para la campaña.

C PRESENTACIÓN DE LA CAMPAÑA

Podéis escoger diferentes formatos: un folleto, una campaña radiofónica, un póster, un vídeo...
Por último, entre todos, decidiremos cuál es la campaña más convincente.

EL AJO, REMEDIO MÁGICO

Cada cultura tiende a atribuir propiedades mágicas a los productos que consume. Es el caso del ajo, tan importante en la cocina mediterránea.

Un diente de ajo al día ya formaba parte de la dieta de los esclavos egipcios que construyeron la gran pirámide de Keops. El ajo viajó en los barcos fenicios, cartagineses y vikingos y se convirtió en remedio para innumerables males: para alejar vampiros, para aumentar la virilidad o para eliminar las pecas. Unas veces ha sido talismán contra la muerte y, otras, simple condimento.

En nuestros días, bioquímicos norteamericanos han confirmado científicamente creencias ancestrales. La alicina, el componente más activo del ajo, es un potente antibiótico y fungicida. El ajo reduce el colesterol y es un revitalizador general. Es también un relajante del corazón, antirreumático, diurético y digestivo. Limpia el aparato digestivo de parásitos, previene gripes y resfriados y tonifica la libido. Se puede afirmar, pues, que el consumo diario de ajo fresco protege contra muchas enfermedades y combate la bajada de defensas.

8 **Remedios caseros**

¿Conoces tú algún remedio casero? Coméntalo con tus compañeros.

– para el insomnio...
– para las náuseas...
– para la tos...
– para las agujetas...

– para el dolor de cabeza...
– para la fiebre...
– para la resaca...
– para...

● Si no puedes dormir, puedes tomar una infusión de manzanilla antes de acostarte.
○ Y la leche caliente con miel, también va bien.

9 **Alimentos que curan**

Lee este artículo de una revista que se publica en España. ¿Pasa lo mismo en tu país? ¿Qué crees que hay que hacer para llevar una dieta sana?

A NUEVOS GUSTOS, NUEVOS HÁBITOS

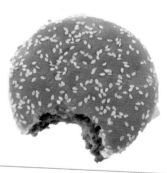

Las actuales costumbres y los gustos estéticos (todos queremos estar delgados y todos vamos con prisas) han provocado la caída en picado del consumo del pan, la pasta y las patatas. En los últimos treinta años, el consumo de estos productos se ha reducido a la mitad. La energía aportada por dichos hidratos se ha sustituido por otra que proviene de proteínas animales, cuyas grasas se acumulan estratégicamente en las zonas menos deseables y son más difíciles de eliminar. El doctor Miguel Ángel Rubio, de la unidad de Nutrición Clínica del Hospital Universitario San Carlos de Madrid, insiste en que "los cambios experimentados en la dieta de los españoles se

Los actuales gustos estéticos de los españoles hacen disminuir el tradicional consumo de pan, pasta y patatas

traducen en una disminución del pan, las legumbres, las pastas, el arroz, las verduras, el aceite de oliva y el vino, aumentando los derivados lácteos, las carnes, los embutidos, las galletas, los bollos y otras grasas no deseables, como los aceites de coco y de palma. Esto conduce a una mayor incidencia del colesterol y las grasas saturadas y a la disminución de la fibra, los antioxidantes y los carbohidratos". Es decir, después de exportar las bondades de la dieta mediterránea a medio mundo, los españoles adoptan los malos hábitos practicados en otros países, como la indiscriminada ingestión de grasas saturadas con la "comida rápida".

5

Vamos a decidir los requisitos y propiedades que deben tener los objetos cotidianos.

Para ello, aprenderemos:

– a describir las características de objetos que conocemos o que buscamos,
– a referirnos a formas, a materiales, a partes y a usos de los objetos,
– a expresar impersonalidad con **se**,
– el presente de subjuntivo de los verbos regulares y de los irregulares más frecuentes,
– el contraste entre indicativo y subjuntivo en frases relativas,
– las frases relativas con preposición,
– **se** en combinación con **lo/la/los/las**.

Adaptable a cualquier necesidad.

POR SOLO: 249€

¡Llama ahora al 000-352-444-78 y consigue descuentos e

1:40 / 4:20

gente y

cosas

Cultura

¿Cómo te gusta leer? ¿En papel o en pantalla?

Blanca Sanz

El aumento de ventas de libros electrónicos se dispara, y la grave crisis de la prensa en papel afecta a los grandes grupos editoriales. Sin embargo, para muchos lectores, el libro como objeto no se puede sustituir.

1 **Yo, el periódico lo leo en el metro**

31-33

A. Vas a escuchar a tres personas que hablan sobre sus hábitos de lectura. ¿Qué suelen leer? ¿Cuándo? ¿Dónde? ¿En qué formatos? Toma notas en tu cuaderno.

1. José María   **2.** Liliana   **3.** Francisco

B. Contesta individualmente a estas preguntas. Luego comenta tus respuestas con un compañero.

→ ¿Te gusta leer? ¿Lees mucho?
→ ¿Qué es lo que más lees? ¿Novelas, poesía, revistas, periódicos, blogs, cómics...?
→ ¿Cuándo sueles leer? ¿Dónde?
→ ¿Lees libros en papel o digitales? ¿En qué tipo de dispositivos?

● Yo, el periódico lo leo todos los días en internet.
○ Pues yo las revistas las leo siempre en papel.

2 **Libros en papel y libros digitales**

A. Decide a cuál de los dos formatos de libros corresponden estas ventajas (algunas valen para los dos). Después, compara tus opiniones con las de un compañero.

	Libro en papel	Libro digital
Es más ecológico.		✔
Lo puedes utilizar en cualquier sitio.		
Lo puedes comprar de segunda mano.		
Te lo puedes llevar a la playa.		
Se lo puedes regalar a un amigo.		
No te cansa la vista.		
Es más bonito.		
No ocupa lugar en casa.		
Se lo puedes regalar a otra persona.		
No pesa mucho.		
Lo puedes pedir en una biblioteca.		
Es más barato.		
Lo puedes compartir en las redes sociales.		
Lo puedes subrayar y hacer anotaciones.		
No lo pierdes si se estropea el dispositivo.		

● El libro electrónico es más ecológico.

B. ¿Se te ocurren otras ventajas e inconvenientes? Coméntalo con tus compañeros.

● El libro electrónico no lo puedes prestar.

3 **Plástico**

Aquí tienes un reportaje sobre los peligros de un material que usamos constantemente.

UN MUNDO DE PLÁSTICO

Paisaje de invernaderos en El Ejido, Almería (España)

EL PLÁSTICO EN CIFRAS

- La producción mundial de plásticos fue de **1 millón de toneladas** en 1963, **100 millones de toneladas** en 1990 y actualmente supera los **250 millones**.
- La mayor parte de los residuos plásticos son **envases**, como botellas de agua o leche.
- En el mundo se consumen **1 millón de bolsas de plástico por minuto**.
- **La media de vida de una bolsa de plástico es de 12 minutos**, pero cuando la tiramos a la basura tarda entre 400 y 1000 años en descomponerse.
- Un envase de yogur necesita **500 años** para degradarse en la atmósfera.

MAREA DE PLÁSTICO

En enero de 1992, un buque de carga que iba de Hong Kong a América se averió en medio del océano Pacífico. Una noche de tormenta los contenedores cayeron al agua. Uno de ellos se abrió y arrojó al mar su cargamento: 29 000 juguetes de plástico para la bañera. Muchos años después siguen apareciendo patitos en otros rincones del planeta.

¿DEPENDEMOS DEL PLÁSTICO?

El ordenador con el que trabajas, la silla en la que te sientas, la suela de los zapatos que llevas, el volante con el que manejas tu coche, la bolsa en la que pones la compra o la basura, el frasco en el que están los medicamentos, los invernaderos en los que se cultivan los tomates… Todo es de plástico.

¿Alguien se imagina la vida sin el plástico? En nuestro mundo el plástico está presente hasta en los más pequeños detalles y por eso es urgente pensar en las consecuencias de su uso y en las alternativas.

El plástico ha revolucionado completamente la vida del ser humano. Porque es ligero, porque no se estropea, porque es impermeable, porque puede adoptar cualquier forma y es barato producirlo… No tienes más que mirar a tu alrededor y te darás cuenta de todo lo que está hecho de plástico: es uno de los materiales más presentes en nuestras vidas. Casi todo lo fabricamos con plástico, lo envolvemos con plástico o lo transportamos con plástico.

Sabemos, sin embargo, que el precio es muy alto: la mayoría de los plásticos los fabricamos a partir del petróleo, una fuente de energía no renovable que se extrae y se procesa usando técnicas que destruyen los ecosistemas frágiles. Los embalajes de plástico —especialmente las bolsas— son una de las mayores fuentes de residuos y una de las peores amenazas para muchos animales. Librarnos del plástico para siempre va a ser difícil y, quizás, innecesario. ¿Se van a producir pronto plásticos que se autodestruyan o que sean fáciles de reciclar? ¿Vamos a poder sustituir el plástico por otros nuevos materiales que solucionen los mismos problemas prácticos? Necesitamos nuevos materiales que sean más respetuosos con el planeta. Eso está claro. Mientras tanto, tenemos que preguntarnos qué podemos hacer para reducir el consumo de un material tan contaminante.

Actividades

A Antes de leer, haced en grupos una lista de los objetos de plástico que habéis utilizado hoy.

● Yo, un bolígrafo, una silla…

B ¿Qué sabéis del plástico? Entre todos, hacéis un lluvia de ideas.

Lo usamos para…

Lo bueno del plástico es que…

el plástico

Lo necesitamos porque…

Lo malo del plástico es que…

C Ahora lee el texto. ¿Aparecen las mismas ideas? ¿Qué nueva información da?

D Fíjate en los verbos destacados. Con dos compañeros haz hipótesis sobre este uso del presente de subjuntivo.

presente de indicativo	presente de subjuntivo
Tenemos *plásticos* **que** no se autodestruyen.	Necesitamos *plásticos* **que** se autodestruyan.
Tenemos *plásticos* **que** son caros de reciclar.	Hay que inventar *plásticos* **que** sean fáciles de reciclar.
Hay *materiales* **que** pueden sustituir el plástico.	¿Hay *materiales* **que** puedan sustituir el plástico?

4 El regalo más...

¿Cuál es el regalo más práctico que te han hecho? ¿Y el más feo o absurdo? ¿Qué hiciste con él? Habla con tus compañeros. ¡Pero ojo con los pronombres!

¿Cómo era?
¿Lo tienes todavía?
¿Se rompió?
¿Lo tiraste?
¿Lo vendiste?
¿Se lo regalaste a alguien?

● A mí me regalaron una vez un gato de la suerte. Era de plástico, dorado...
○ ¿Quién te lo regaló?
● Una amiga.
○ ¿Y qué hiciste con él?
● Se lo regalé a una vecina. A ella le encantó.

5 El juego de las diferencias

A. ¿Qué ha pasado con los objetos que tienen los personajes en la segunda imagen? En parejas, escribid frases con pronombres. ¿Quiénes escriben más?

el jersey rojo
el casco
la gorra
la tableta
la bufanda
la chaqueta

la botella de agua
la mochila
los auriculares
los libros

las gafas de sol
las llaves
las zapatillas rojas

Antes lo/la/los/las tenía...
Antes lo/la/los/las llevaba...

Carlos   Andrea   Lucas   Iñaki

...se lo/la/los/las ha dado a...
...se lo/la/los/las ha puesto...
...lo/la/los/las ha puesto en...
...lo/la/los/las tiene...
...lo/la/los/las lleva...
...lo/la/los/las ha cogido....

B. Jugamos en grupos. Los "actores" hacen una escultura humana con diferentes objetos. Los "observadores" miran con atención, salen de clase y, al volver a entrar, dicen qué cambios ha habido. Los "jueces" toman nota y evalúan las frases.

● Creo que antes la gorra la llevaba Sarah.
○ Sí, y ahora se la ha puesto Andy.

DESCRIBIR OBJETOS

Cualidades y requisitos

● **Tengo** un coche...
  - ... **pequeño.**
  - ... **con** un maletero grande.
  - ... **que** consume poco. *indicativo*

● **Busco** un coche...
  - ... **pequeño.**
  - ... **con** un maletero grande.
  - ... **que** consuma poco. *subjuntivo*

Material
● Una lámpara **de** tela, plástico, madera, cristal, papel, metal...

Utilidad
● **Sirve para** cocinar.
● **Se usa para** escribir.
● **Lo usan** los cocineros.

Funcionamiento
● **Se** enchufa a la corriente.
● **Se** abre solo/a.

● **Va**.
● **Funciona** **con** pilas / gasolina. / energía solar.

¿Y cómo funciona?

Con energía solar.

Propiedades
● **Se puede /**
  No se puede...
  - ... comer.
  - ... romper.
  - ... utilizar para cocinar.

SE + LO/LA/LOS/LAS

Reflexivo + OD
● ¿Qué han hecho con el jersey?
○ **Se lo** ha puesto Iñaki.

OI + OD
(se + lo/la/los/las)

● ¿Qué han hecho con la mochila?
○ Andrea **se la** ha dado a Carlos.
  Andrea **le la** ha dado a Carlos.

PRESENTE DE SUBJUNTIVO

Verbos regulares

HABL**AR**	COM**ER**	VIV**IR**
habl**e**	com**a**	viv**a**
habl**es**	com**as**	viv**as**
habl**e**	com**a**	viv**a**
habl**emos**	com**amos**	viv**amos**
habl**éis**	com**áis**	viv**áis**
habl**en**	com**an**	viv**an**

Verbos irregulares

SER	IR	PODER
sea	**vay**a	**pue**da
seas	**vay**as	**pue**das
sea	**vay**a	**pue**da
seamos	**vay**amos	podamos
seáis	**vay**áis	podáis
sean	**vay**an	**pue**dan

HABER	→	**hay**-	TENER	→	**teng**-
PONER	→	**pong**-	DECIR	→	**dig**-
HACER	→	**hag**-	SALIR	→	**salg**-
VENIR	→	**veng**-	SABER	→	**sep**-

FRASES RELATIVAS

Sin preposición

- Un anillo **que me regaló mi padre**.

Con preposición

- Un anillo de**l que no me separo nunca**.
- Un anillo a**l que le tengo mucho cariño**.
- El anillo con **el que me casé**.

SE: IMPERSONALIDAD

*Lo hace todo el mundo
o no importa quién lo hace*

- **Se usa** para construir barcos.
- Ese mineral **se necesita** para fabricar móviles.

*Procesos que suceden
sin que intervengan las personas*

- Hay puertas que **se abren** y **se cierran** solas.
- Esta planta **se ha secado**.
- Los vasos de cristal **se rompen**.

CONSULTORIO GRAMATICAL
Páginas 140-145 ▶

---

6 **El sofá en el que veo la tele**

A. Estos son los objetos más importantes para Lucía. Fíjate en estas frases relativas. ¿Cómo funcionan?

– Una muñeca **que** me regalaron cuando era pequeña.
– La pluma **con la que** escribo mi diario.
– Una cajita **en la que** guardo mis joyas.
– Unos pendientes **a los que** les tengo mucho cariño.

B. Ahora haz tu lista de objetos. Usa frases como las anteriores.

7 **¿Las usas en casa?**

34-35

A. Vas a escuchar a dos personas que juegan a adivinar un objeto haciendo preguntas. ¿Puedes adivinar tú de qué hablan antes de que terminen?

B. En pequeños grupos, cada estudiante piensa en un objeto que usa a menudo y dice su género y su número gramaticales. Sus compañeros le hacen preguntas para adivinar qué es.

● Mi objeto es femenino y plural. Las...
○ ¿Las tienes aquí en la clase?
● No, aquí no.

8 **¿Alguien tiene uno?**

En grupos de tres: cada persona del grupo tiene que pedir tres cosas a otros compañeros de la clase. Gana el grupo que consigue reunir antes sus 9 cosas.

El alumno A busca...
→ un objeto que **esté** hecho de tres materiales
→ un pañuelo que no **esté** usado
→ algo que **sirva** para ver mejor

El alumno B busca...
→ un libro que no **sirva** para aprender español
→ algo que **cueste** muy poco dinero
→ un objeto que **se ponga** normalmente en la cabeza

El alumno C busca...
→ algo que **sirva** para no tener frío
→ un monedero que no **sea** de plástico
→ un billete que no **sea** del país donde vives

● ¿Tienes algo que cueste poco dinero?
○ A ver... Sí, aquí tengo una pulsera de plástico que compré en...

9 **De madera**

El papel, el aluminio, la madera, la gasolina... Con un compañero elige un material y escribe un texto sobre sus ventajas e inconvenientes. Podéis buscar información en internet. Luego, intercambiad los textos. Cada grupo intenta mejorar el texto que ha recibido.

● La madera es un material natural. Se usa para muchas cosas...

10 **Inventos que cambiaron el mundo**
A. Lee el texto y en pequeños grupos decidid qué inventos os parecen los más importantes.

LOS **10** INVENTOS MÁS IMPORTANTES DE LA HISTORIA

Existen una serie de innovaciones que han supuesto un antes y un después en la vida del ser humano. Están en la base de nuestra vida cotidiana y es difícil imaginar nuestra vida sin ellas. Estas son las diez más significativas.

el teléfono

el fuego

la televisión

la rueda

los antibióticos

la bombilla

el frigorífico

la imprenta

internet

el coche

EL FUEGO

¿Cuándo apareció?
Hace 350 000 años el hombre de Atapuerca comenzó a utilizarlo.

¿Cómo era la vida antes de su aparición?
Todos los alimentos se comían crudos. Se usaba la piel de los animales para conservar el calor corporal. Solo era posible vivir en regiones en las que los inviernos eran fríos si había cuevas donde protegerse.

¿Qué problemas ha solucionado?
Gracias al fuego el hombre ha aprendido a protegerse del frío, a cocinar alimentos, a fabricar objetos de barro resistentes y aprovechar activamente el tiempo sin luz del sol.

36

B. Vais a escuchar a cuatro personas que nos hablan de inventos importantes para ellos. ¿Creéis que son realmente tan importantes?

C. Pensemos en el mundo antes de estos descubrimientos. ¿Cómo eran las cosas? Con un compañero completa las frases.

– Cuando no había coches...
– Cuando no había imprenta...
– Cuando no había antibióticos...
– ...

D. Cada grupo propone tres descubrimientos más para ampliar la lista y argumenta su importancia.

● Yo creo que la electricidad es muy importante porque...

E. Elegid dos descubrimientos de vuestra lista y buscad información en internet para escribir una ficha como la del fuego. Además de esas informaciones, podéis añadir sus ventajas e inconvenientes.

11 **Los inventos del mañana**
A. En pequeños grupos pensad en varias cosas indispensables para la vida cotidiana. ¿Cómo se podrían mejorar? ¿Qué propiedades no tienen todavía?

● Necesitamos un teléfono que no emita ondas peligrosas.
○ Y con una batería que dure meses.
■ Y que sea gratis.

B. Ahora escoged de vuestra lista un objeto y elaborad una presentación para vuestros compañeros. ¿Quién propone las mejoras más útiles?

OS SERÁ ÚTIL...

Frases relativas: subjuntivo/indicativo

● Necesitamos coches eléctricos con **los que se puedan** hacer muchos kilómetros sin recargar las baterías.
○ Ya existen coches eléctricos con **los que se pueden** hacer muchos kilómetros...

Cuando + imperfecto, imperfecto

● **Cuando** no **había** aviones, la gente **tenía** que viajar durante muchos días.
● **Cuando** no **existían** los antibióticos, la gente **moría** mucho más joven por cualquier infección.

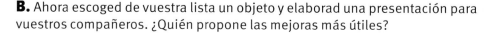

GREGUERÍAS Y POEMAS-OBJETO

Las "greguerías" las inventó el escritor español **Ramón Gómez de la Serna**. Con ellas describe distintas cosas conjugando el humor, la fantasía y la poesía. Por ejemplo: "A la luna solo le falta tener marco."

La sandalia es el bozal de los pies

Las serpientes son las corbatas de los árboles.

•

Psicoanalista: sacacorchos del inconsciente.

•

Nos muerde el ladrido de los perros.

•

Las espigas hacen cosquillas al viento.

•

La jirafa es un caballo alargado por la curiosidad.

•

Los ceros son los huevos de los que salieron las demás cifras.

•

Las gaviotas nacieron de los pañuelos que dicen ¡adiós! en los puertos.

•

El cerebro es un paquete de ideas arrugadas que llevamos en la cabeza.

•

El libro es un pájaro con más de cien alas para volar.

•

En las cajas de lápices guardan los sueños los niños.

•

Las anclas son anzuelos para pescar puertos.

•

Los bostezos son "oes" que huyen.

•

La pistola es el grifo de la muerte.

•

El beso nunca es singular.

La cabeza es la pecera de las ideas

(Gómez de la Serna, R. y Fernández Arias, R.: *100 greguerías ilustradas*, editorial Media Vaca, Valencia, 2007)

El viaje más barato es el del dedo sobre el mapa

Los poemas-objeto son obras que combinan lengua e imágenes y que nos invitan a mirar y leer. El artista y poeta catalán Joan Brossa usó los objetos más cotidianos para provocar nuestra sorpresa y hacernos reflexionar. En sus poemas-objeto, así como en sus poemas visuales, nos propone a menudo un juego entre las palabras del título y las cosas que representa.

12 **Greguerías**

A. ¿Qué te dice la greguería de las serpientes? Y, de las otras, ¿cuál te gusta más? ¿Por qué?

B. Ahora intenta reconstruir estas cinco greguerías combinando un elemento de cada columna.

– El libro...	...es el dolor de cabeza...	...en las cascadas.
– La ardilla...	...se suelta el pelo...	...en los pies.
– El etc., etc., etc.,...	...es el salvavidas...	...que se ha independizado.
– El agua...	...es la trenza...	...de la soledad.
– El reuma...	...es la cola...	...de lo escrito.

13 **Poemas-objeto y poemas visuales**

Imagina títulos para estas obras de Joan Brossa. Después mira los títulos reales. ¿Puedes decir a qué obra corresponde cada uno de ellos? Justifícalo.

– "País"	– "Yo"	– "Burocracia"
– "Cuentos"	– "Sin azar"	– "Llave"

6

Vamos a crear una campaña para financiar una nueva empresa.

Para ello, aprenderemos:
- a valorar propuestas y sugerencias,
- a argumentar sobre ventajas e inconvenientes de un producto o servicio,
- a hablar de la cantidad de personas,
- a hablar del futuro,
- a referirnos a porcentajes,
- a expresar involuntariedad con **se me**/**te**/**le**...,
- el futuro de los verbos regulares e irregulares,
- los pronombres de OD y de OI,
- combinaciones de pronombres: **se lo** / **se le**,
- **cuando** / **donde** / **todo lo que** / ... + subjuntivo,
- **querer** + infinitivo / subjuntivo.

gente
con
ideas

1 **En apuros**

¿Qué problemas tienen o han tenido los personajes de las imágenes?

► Ha perdido ...	► Se le ha roto...
► Se le ha quemado ...	► No sabe cómo...
► No le ha dado tiempo a ...	► Le han perdido...
► Se le ha estropeado...	► No tiene tiempo para...

2 **Tenemos la solución**

Lee el anuncio. ¿Te harías socio? ¿Cuánto estarías dispuesto a pagar (por 24, 12 o 6 problemas al año)?

gente sin problemas

La vida cotidiana a veces nos pone en apuros. Surgen pequeños problemas que se convierten en grandes si no encontramos rápidamente una solución.

¿No tiene tiempo para nada y encuentra la nevera vacía cuando llega a casa?
LE HAREMOS LA COMPRA.

¿Ha hecho una fiesta y la casa está patas arriba?
EN UNAS HORAS SE LA DEJAREMOS EN PERFECTO ESTADO.

¿Tiene un escape de agua o una avería eléctrica?
UN FONTANERO O UN ELECTRICISTA IRÁN INMEDIATAMENTE.

¿Se le ha manchado su traje preferido y tiene una reunión importante?
SE LO LLEVAREMOS A LA TINTORERÍA EN UN TIEMPO RÉCORD.

¿Su ordenador está haciendo tonterías y usted necesita terminar algo?
LE CONSEGUIREMOS UNO DE RECAMBIO.

¿Ha perdido u olvidado las llaves de casa o del coche?
UNO DE NUESTROS CERRAJEROS LO SOLUCIONARÁ EN POCO TIEMPO.

¿Le han perdido su maleta?
UN ESPECIALISTA LE LLEVARÁ AL AEROPUERTO LO NECESARIO PARA PASAR UN PAR DE DÍAS.

¿Usted no es un manitas y no sabe montar un mueble?
IREMOS A AYUDARLE.

¿Se encuentra mal y no tiene a nadie a quien llamar?
LE MANDAREMOS UN MÉDICO, UN ENFERMERO O LOS MEDICAMENTOS QUE NECESITE.

HÁGASE SOCIO
Usted también será una persona SIN PROBLEMAS

- ✓ 24 horas al día.
- ✓ Servicio en todo el país y en el extranjero.
- ✓ Contratos a medida según sus necesidades:
  - ◆ 24 problemas al año
  - ◆ 12 problemas al año
  - ◆ 6 problemas al año

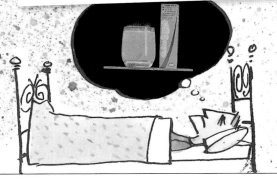

● Yo creo que por 24 problemas al año pagaría...
○ A mí me parece que lo justo sería pagar unos...

3 **¿Te ha pasado alguna vez?**

¿Y tú? ¿Has tenido alguna vez algún problema parecido a los que se mencionan en el anuncio? ¿Qué hiciste para resolverlo?

● A mí una vez se me estropeó la ducha y el agua...

4 **Nuevos servicios en la ciudad**

Hay seis empresas que se han instalado recientemente en la ciudad y que ofrecen nuevos servicios. Estos son sus anuncios.

EL CANGURO HISPANO

¿QUIERES QUE TU HIJO APRENDA ESPAÑOL?

Un/a joven cuidará a tu hijo en español. Tu hijo aprenderá de la forma más natural: ¡jugando! Podrás elegir la nacionalidad si estás interesado en algún país en especial.

✉☎ Contactar

¿ODIAS IR DE COMPRAS? ¿NO SABES COSER? SOMOS ASESORES DE IMAGEN Y COMPRADORES. IREMOS A TU CASA, REVISAREMOS TU ARMARIO Y TE ACTUALIZAREMOS LA ROPA.

TE QUEDA BIEN

De la huerta a casa

Todas las frutas y verduras directamente del productor a su casa.
¡Tendrá la mejor huerta en casa a cualquier hora del día!

Tel. 96 542 24 15
www.delahuertaacasa.gen

MADE IN

GRAN SELECCIÓN DE PRODUCTOS ARGENTINOS:
DULCE DE LECHE, ALFAJORES, CARNE, EMPANADAS, VINOS

Compra online o encargos por teléfono.
Entregamos los pedidos donde quiera
y cuando quiera.

✉☎ Contactar

EL CHEF ESPAÑOL

¿Quieres aprender a cocinar? En pocos días podrás hacer los mejores platos de la gastronomía española

TE ENSEÑAREMOS A HACER

paella
•
tapas

platos típicos regionales
(cocina vasca, cocina gallega,
cocina asturiana)

www.elchefespanol.gen

Apio verde

Las mejores fiestas en casa al mejor precio. No tendrás que preocuparte de nada, solo de pasarlo bien.
Presupuestos: 2222

Actividades

A Varias personas necesitan resolver un problema y otros les aconsejan. ¿A qué empresa pueden contactar?

🎧 37-40

	Debería contactar con...
1	
2	
3	
4	

B ¿Existen empresas parecidas en tu ciudad o región? Comentadlo en parejas.

  ● ¿Hay empresas que te lleven productos argentinos a casa?
○ No, no creo. Pero...

5 **Otras empresas originales**
Estas son las tarjetas de otras seis nuevas empresas.

Nunca solo

El coach virtual.
consultas@nunca-solo.dif
Skype: nuncasolo

MI PROFE ONLINE

¿Problemas con los deberes?
¿Un examen importante?

info@miprofeonline.gen

VÍDEOYAYO

Los abuelos nunca más estarán solos.
914 549 541 — contigo@videyayo.dif

Y YO CON ESTOS PELOS

PELUQUERÍA A DOMICILIO.

615 487 992 / reservas@conestospelos.gen

COMO NUEVO

Ropa de niño de segunda mano.
914 514 687 – info@comonuevo.gen

ART-en-PARED

Paredes artísticas.
Una obra de arte en tu salón.
presupuestos@art-en-pared.dif

Actividades

A ¿Qué servicios ofrecen las empresas anteriores? Fíjate en la imagen, en el nombre y en el eslogan de sus tarjetas. Discútelo con un compañero.

● Yo creo que "Mi profe online" es como una escuela en internet por vídeoconferencia, ¿no?

B Todas las empresas de estas páginas se han instalado en tu ciudad o región. ¿Crees que tendrán éxito? ¿Qué condiciones tienen que cumplir? Haz una lista con dos compañeros.

● Yo creo que "Y yo con estos pelos" tendrá éxito.
○ Sí, pero solo si no es muy cara porque ya hay muchas peluquerías.
■ Yo sería cliente. No me gusta nada ir a la peluquería.

6 **Concurso de pronombres**

La empresa GENTE SIN PROBLEMAS tiene que organizar el reparto de los siguientes encargos. En pequeños grupos, y por turnos, formad frases con estas tres estructuras.

– **Los nachos** <u>se los</u> llevas **a los señores Frontín**. (1 punto)
– **Los nachos** hay que llevár<u>selos</u> **a los señores Frontín**. (2 puntos)
– **Los nachos** lléva<u>selos</u> **a los señores Frontín**. (2 puntos)

PRODUCTO		CLIENTE
paella	→	Marisa Aguirre
nachos	→	Sres. Frontín
ensaimada	→	Carmelo Márquez
vino	→	Nuria París
cava	→	Gloria Vázquez
cervezas	→	Rafael Ceballos
2 pollos	→	Sra. Escartín
pizza	→	Rosa Mari Huertas
tacos	→	Óscar Broc
rollitos de primavera	→	Gemma Alós

7 **Esto no es lo que yo he pedido**

41-42

A. El mensajero ha dejado paquetes equivocados. Dos clientes reclaman al servicio de atención telefónica de GENTE SIN PROBLEMAS. Escucha y toma notas.

	nº1	nº2
Le han llevado		
Había pedido		

B. Vuelve a escuchar las conversaciones y observa qué fórmulas usan los clientes para reclamar y cuáles el empleado para disculparse. Marca en la tabla con una C (clientes) y con una E (empleado) quién dice cada cosa.

Qué dicen	Quién lo dice
Esto no es lo que yo he pedido.	
Disculpe las molestias.	
Yo había pedido... y me han traído...	
Le llevaremos inmediatamente lo que ha pedido.	
Lo que yo quería era...	
En la lista de precios pone que... y me han cobrado de más.	
Perdone el despiste.	
Lo solucionaremos enseguida.	

C. En parejas, simulad conversaciones similares. Un estudiante es un cliente al que no le han llevado lo que había pedido y el otro trabaja en GENTE SIN PROBLEMAS.

 • Gente sin problemas, ¿dígame?

PRONOMBRES ÁTONOS OD+OI:
SE LO/LA/LOS/LAS

Cuando se combinan los pronombres de OI **le** o **les** con los de OD **lo, la, los, las**, los primeros se convierten en **se**.

● ¿Y el pollo?
○ **Le lo** llevaré ahora mismo.
  Se lo llevaré ahora mismo.

Se lo podemos entregar en casa, sí quiere.

SE ME/TE/LE...: INVOLUNTARIEDAD

● **Se me** ha caído al suelo y **se me** ha roto. (= *Lo he tirado sin querer y lo he roto*)

● Aquí huele mal, ¿**se te** ha quemado algo?
○ No, **se me** ha estropeado la cafetera.

● **Se me**	
● **Se te**	ha estropeado el ordenador.
● **Se le**	
...	

CUALQUIER(A),
TODO EL MUNDO, TODO LO QUE...

● **Todo el mundo** ha oído hablar de nuestra nueva empresa.
● **La mayoría de jóvenes** escucha música.
● **Bastantes** familias necesitan guarderías.
● **Poca** gente compra en tiendas pequeñas.
● Le llevamos **cualquier** cosa a **cualquier** hora a **cualquier** sitio.

Todo va generalmente con artículo.

● **Todo el** país...   ● **Toda la** ciudad...
● **Todos los** clientes...   ● **Todas las** cosas...
● **Todo lo que** sucede...

Todo/a/os/as sin sustantivo exige el pronombre átono de OD: **lo, la, los, las**.

● ¿Y las botellas?
○ **Las** he repartido **todas**.

QUERER: INFINITIVO Y SUBJUNTIVO

En frases con el mismo sujeto

● Yo quiero **aprender** a cocinar.

En frases con sujetos diferentes

● Yo quiero **que** mi hijo **aprenda** español.

ACONTECIMIENTOS O SITUACIONES FUTURAS

Futuros regulares

HABL**AR** →	**hablar-**		é
LE**ER** →	**leer-**	+	ás
ESCRIB**IR** →	**escribir-**		á
			emos
			éis
			án

Futuros irregulares

DECIR →	**dir-**		
HACER →	**har-**		
HABER →	**habr-**		é
PODER →	**podr-**		ás
PONER →	**pondr-**		á
QUERER →	**querr-**	+	emos
SABER →	**sabr-**		éis
SALIR →	**saldr-**		án
TENER →	**tendr-**		

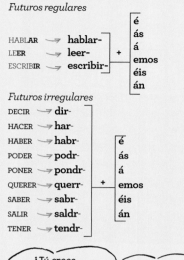

> ¿Tú crees que esta idea puede ser interesante?

> Sí, será un éxito. Ya lo verás.

El futuro para dar confianza y ánimos

- Ya lo **verás**.
  Ya **verás** como todo sale bien.

El futuro para expresar una condición

Si + *indicativo* + *futuro*

- Este hotel, **si ofrece** buen servicio, **tendrá** muchos clientes.
- Y **si** los precios no **son** muy caros.

El futuro para comprometerse a hacer algo y hacer promesas

- **Tendrá** su pedido en su casa en menos de 30 minutos.

FUTURO CON CUANDO / DONDE / TODO (LO) QUE **+ SUBJUNTIVO**

- Le dejaremos un coche de sustitución **cuando** el suyo **tenga** una avería.
- Le entregaremos su camisa sin manchas **donde** nos **diga**.
- Le llevaremos a casa **todo lo que** usted **necesite**.

CONSULTORIO GRAMATICAL
Páginas 143-146 ▶

---

 8 **Para convencer**

A. ¿Qué argumentos pueden dar estos establecimientos para promocionarse? Añade algunos más.

Nuestros técnicos irán a su casa
cuando usted tenga un problema.

UNA TIENDA DE INFORMÁTICA

- le (proporcionar) asistencia telefónica sobre el manejo de los programas cuando no (saber) cómo hacer algo
- le (informar) de todas las novedades
- le (ofrecer) siempre precios especiales de cliente
- le (prestar) un ordenador cuando el suyo (estar) estropeado y se lo (llevar) a cualquier lugar donde lo (necesitar) y a cualquier hora
- nuestros técnicos (ir) a su casa cuando (tener) un problema
- ....

UN GIMNASIO

- cada mes (tener) derecho a dos masajes gratuitos
- (poder) participar en cualquiera de nuestras actividades: clases de culturismo, mantenimiento, ejercicios para la tercera edad, pilates, spinning, taichi...
- en los vestidores (disponer) de taquilla propia y todas las toallas que (necesitar)
- un médico especializado (controlar) todos los ejercicios que usted (hacer)
- nuestros monitores le (ofrecer) asesoramiento especializado cuando lo (necesitar)
- ....

UNA GUARDERÍA

- sus hijos (estar) con profesores especialistas en Educación infantil
- (tener) actividades artísticas
- (aprender) un idioma extranjero y música
- (poder) permanecer en el centro de 8 h a 20 h
- (tener) servicio de comedor con menús infantiles
- un psicólogo (atender) de forma individualizada de todas las necesidades especiales que (tener) cada niño
- ....

B. En grupos de tres escribid fichas similares sobre otras posibles empresas (una clínica veterinaria, un hotel rural, una clínica dental...). Después, podéis crear un eslogan, un nombre comercial y un logotipo para cada empresa.

Nombre:
Eslogan:
Argumentos de venta:
Logotipo:

⑨ Jóvenes emprendedores

¿Te parecen interesantes estos proyectos? ¿Crees que tienen futuro? Discútelo con un compañero. Tenéis 2000 € para invertir.

Pensad en las ventajas e inconvenientes de cada proyecto:
→ necesidades de los consumidores y hábitos de consumo
→ competencia
→ rentabilidad

● Yo creo que tendrá éxito. Mucha gente tiene una talla grande y no encuentra ropa.
○ Puede ser, pero...

GENTE QUE SUEÑA.com

Mucha gente tiene ideas para fundar una empresa. Buenas ideas, ideas originales. Pero el problema es casi siempre el mismo: la financiación. Muchos han encontrado una solución: buscar ayuda en la red, en lo que se ha denominado **crowdfunding**. Cada vez son más los jóvenes que apuestan por esta alternativa para la creación de pequeños negocios. En esta página podrás publicar tu proyecto y buscar suscriptores o bien apoyar las ideas de otros.

👕 MODA

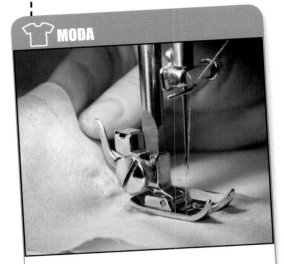

5850 € de 15 000 €

Una ropa especial
ALFREDO BAEZA Y ROMÁN VALERO

"Queremos lanzar nuestra propia marca de ropa a medida. Pensamos que hay mucha gente que no encuentra su talla en las tiendas. No queríamos pedir un crédito y ahora buscamos financiación a través del crowdfunding. Tenemos los diseños, los conocimientos técnicos y muchas ganas de trabajar."

39 % recaudado
35 días para terminar

🌲 MEDIO AMBIENTE

11 160 € de 12 000 €

Montes recuperados y huevos de calidad
ARIADNA HERNÁNDEZ

"Estoy montando una granja de gallinas y huevos bio en una finca abandonada. Recuperaremos el monte con una agricultura respetuosa con el medio ambiente y con animales en libertad, al mismo tiempo que creamos puestos de trabajo."

47 % recaudado
20 días para terminar

🤝 SOLIDARIOS

1560 € de 6 000 €

El supermercado solidario
MINERVA LÁZARO Y BELÉN BAÑOS

"Queremos crear una cooperativa para familias o personas con pocos recursos. Compraremos como mayoristas y podremos ofrecer precios muy baratos. Queremos que nos ayudéis. Con vuestro apoyo, lo conseguiremos."

26 % recaudado
45 días para terminar

 INFORMÁTICA

2240 € de 3500 €

Aplicaciones para mantenerse en forma

VÍCTOR SÁNCHEZ Y TAMARA TOLEDO

"Estamos desarrollando una serie de aplicaciones para móvil y tabletas, con ayuda de psicólogos especializados, para la gente mayor. Se trata de pequeños juegos y ejercicios fáciles para entrenar la mente de las personas mayores. ¡Pero nos faltan inversores!"

64 % recaudado
50 días para terminar

 INFORMÁTICA

5310 € de 9 000 €

Ordenador ultrabarato

MARISA GÁLVEZ Y RUBÉN GARCÍA CAMACHO

"Hola, somos ingenieros informáticos y estamos creando un ordenador por menos de 100 euros para países en vías de desarrollo. Queremos que la gente solidaria invierta en nuestro proyecto. ¡Sabemos que es posible!"

59 % recaudado
50 días para terminar

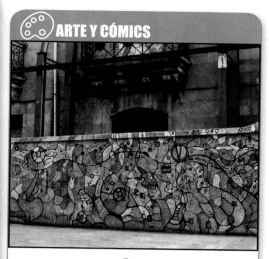 ARTE Y CÓMICS

1775 € de 2500 €

Arte urbano contra las paredes grises

NATALIA DÍAZ Y MARGA SANTOS

"Los grafiteros muchas veces no saben dónde hacer sus obras. Los polígonos industriales, las fábricas, los espacios públicos son a veces grises y tristes. Nos proponemos montar una agencia que contacte a los artistas del grafiti con lugares, empresas y ayuntamientos que quieran dar color a los edificios feos."

71 % recaudado
12 días para terminar

OS SERÁ ÚTIL...

Para referirse a la cantidad de personas

● **Todo el mundo**
● **La gente**
● **La mayoría (de la gente)** ⎤ necesita...
● **Mucha gente** ⎟ quiere...
● **Casi nadie** ⎟ ...
● **Nadie**

Ventajas e inconvenientes

● **Lo que pasa / el problema es que...**
● **Lo bueno/malo es que...**

Expresar necesidades y deseos

● Hay gente que necesita **conseguir** alimentos más baratos pero no quiere que se los **den** gratis.

Expresar impersonalidad

● Con el ordenador...
   ...**puedes ayudar a educar a...**
   ...**se puede ayudar a educar a...**

 Nuestra campaña

Elige uno de los proyectos de esta página. Busca a uno o varios compañeros que apuesten por el mismo. En grupo, desarrollad una campaña para promocionarlo. Debe incluir:

→ el nombre de la empresa
→ un eslogan o varios
→ tipo de anuncios que queréis hacer (TV, prensa, redes sociales...)
→ un pequeño texto animando a los clientes a usar el servicio o a comprar, o un anuncio audiovisual

11 **Nuestro proyecto**

Ahora en pequeños grupos inventaréis un posible proyecto. Escribid una ficha como las anteriores para buscar apoyo financiero.

LA ECONOMÍA NARANJA

A pesar de ser unos grandes productores de artes y de estar a la vanguardia de las mismas en algunos campos como el cine, el teatro, la música, la pintura y la literatura, Latinoamérica y el Caribe continúan sin aprovechar al máximo el valor económico de su creatividad cultural. Por eso no consiguen participar al mismo nivel que otros países en este sector económico de la creación cultural, que supone el 6,1 % de la economía global y constituye el quinto puesto de esta.

Estas son algunas cifras reveladoras: el XII Festival de Teatro Latinoamericano de Bogotá en el 2010 contó con 3,9 millones de espectadores. El Carnaval de Río del 2012 atrajo a 850 000 visitantes y aportó 628 millones de dólares en consumo a la ciudad. Uno de cada diez empleos en la ciudad de Buenos Aires pertenece a las industrias culturales.

Pero, ¿qué es la economía naranja? Puede decirse que se trata de todo aquello relacionado con las artes y la creatividad: el teatro, la literatura, la pintura, el cine, la música, la arquitectura... Esto incluye tanto el entorno productivo (funciones, conciertos, exposiciones, editoriales, etc.), como los derechos de autor, la educación o la cadena de servicios relacionados con los eventos culturales (publicidad, prensa, software, conferencias, turismo...).

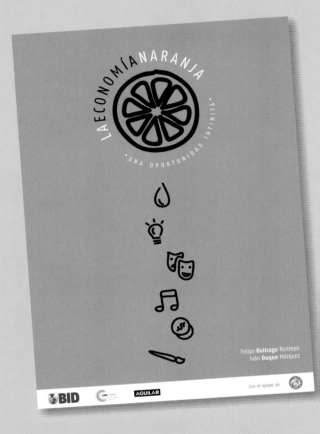

En el libro *La economía naranja: una oportunidad infinita* (Bogotá, 2013) los especialistas Felipe Buitrago Restrepo e Iván Duque Márquez alertan de que las posibilidades económicas de la industria cultural de Latinoamérica y el Caribe no están suficientemente valoradas todavía. La poca atención de los gobiernos por la economía de las artes ha hecho que los países latinoamericanos y caribeños sean más exportadores de cultura que beneficiarios económicos de la misma, incluso en el caso de sus propias producciones nacionales.

Un gran ejemplo del potencial de la economía naranja en el mundo es el cine. Las industrias de Hollywood (Estados Unidos), Bollywood (India) y Nollywood (Nigeria) juntas producen más de 4000 películas anuales, con miles de millones de dólares de beneficios. ¿Y que pasaría con una Latinwood? ¿Cuántos millones produciría?

Y el cine es solo una de las opciones. La red de eventos culturales en Latinoamérica y el Caribe, con cerca de 500 millones de espectadores, depende sobre todo de producciones extranjeras, por el momento. Al menos hasta que América Latina aprenda a aprovechar todo el potencial de su creatividad para generar empleos y ganancias económicas para sus propios ciudadanos.

(texto adaptado de Jesús Jambrina, publicado en: voces.huffingtonpost.com)

Rufino Tamayo: *Perro de luna* (1973)

Calle 13

Ballet Folklórico nacional de Cuba

Sinfónica de la Juventud Venezolana Simón Bolívar

Fernando Botero: *Bailarina*

12 **¿Qué es la economía naranja?**
Lee el texto, mira las imágenes y haz una frase que la defina.

13 **La cultura que Latinoamérica exporta**
¿Crees que la cultura latinoamericana es suficientemente conocida? En grupos de tres pensad en estos temas y haced una lista de cosas o artistas que conocéis.

- ▶ cine
- ▶ música
- ▶ ciencia

- ▶ tecnología
- ▶ literatura
- ▶ teatro

- ▶ artes plásticas
- ▶ cultura popular
- ▶ arquitectura e ingeniería

14 **¿Y en tu país?**
¿Tu país aprovecha lo suficiente la "economía naranja"? Discutid vuestras opiniones.

Vamos a elaborar y a debatir un programa de actuación para preparar un futuro mejor.

Para ello, aprenderemos:

- recursos para el debate (tomar y ceder la palabra, iniciar y finalizar una intervención...),
- a expresar opiniones y a argumentar,
- a expresar continuidad e interrupción,
- a especular sobre el futuro y a expresar grados de probabilidad,
- **creo que...** / **estoy seguro/a de que...** / **tal vez...** + indicativo,
- **no creo que...** / **tal vez...** + subjuntivo,
- **cuando** + subjuntivo,
- algunos conectores de la argumentación.
- **para** + infinitivo y **para** + subjuntivo.

gente que opina

1 Los objetivos para este siglo

A. La Organización de las Naciones Unidas (ONU) ha definido ocho objetivos para el siglo XXI. ¿Cuáles son los más importantes? ¿Crees que se alcanzarán?

OBJETIVOS DE DESARROLLO DEL MILENIO

1 ERRADICAR LA POBREZA EXTREMA Y EL HAMBRE

2 LOGRAR LA ENSEÑANZA PRIMARIA UNIVERSAL

3 PROMOVER LA IGUALDAD ENTRE SEXOS Y EL EMPODERAMIENTO DE LA MUJER

4 REDUCIR LA MORTALIDAD DE LOS NIÑOS MENORES DE 5 AÑOS

5 MEJORAR LA SALUD MATERNA

6 COMBATIR EL VIH/SIDA, LA MALARIA Y OTRAS ENFERMEDADES

7 GARANTIZAR LA SOSTENIBILIDAD DEL MEDIO AMBIENTE

8 FOMENTAR UNA ALIANZA MUNDIAL PARA EL DESARROLLO

1. Eliminar la pobreza extrema y el hambre y conseguir trabajo digno para todos, incluyendo mujeres y jóvenes.

2. Conseguir que los niños y niñas, en cualquier parte del mundo, puedan terminar un ciclo completo de enseñanza primaria.

3. Promover la igualdad entre géneros y la autonomía de la mujer para que las mujeres accedan a la educación y a puestos de trabajo en las mismas condiciones que los hombres.

4. Mejorar la nutrición y combatir las enfermedades para reducir la mortalidad infantil.

5. Mejorar la salud, reducir la mortalidad materna y lograr el derecho universal a la salud reproductiva.

6. Combatir y detener el VIH y la malaria.

7. Garantizar el desarrollo sostenible y la diversidad biológica.

8. Fomentar una asociación mundial para el desarrollo y atender a las necesidades especiales de los países menos adelantados.

	1	2	3	4	5	6	7	8
No, seguro que no.								
Sí, puede ser.								
Estoy seguro de que sí.								

B. Comenta tus previsiones con los compañeros.

● Yo creo que se descubrirá una vacuna contra la malaria.
○ Sí, yo también lo creo.
■ Sí, bueno, pero aparecerán otras enfermedades...

yo creo que se conseguirá...
se eliminará/n...
empeorará/n...
mejorará/n...
habrá más / menos...
aumentará/n...
disminuirá/n...
aparecerá/n...
desaparecerá/n...

GENTE QUE OPINA

2 **¿Desaparecerán?**

En este artículo se habla de aquellas cosas que pueden desaparecer en los próximos años.

COSAS QUE PODRÍAN DESAPARECER EN LOS PRÓXIMOS 10 AÑOS

La evolución rapidísima de la tecnología y la llegada de internet a cualquier aspecto de nuestras vidas está cambiando nuestras costumbres, nuestra vida cotidiana y nuestras ciudades. Nos preguntamos cuánto tiempo van a sobrevivir algunas de estas cosas.

LAS SUCURSALES BANCARIAS FÍSICAS

¿Harán falta en un futuro próximo los bancos físicos? Casi todo el mundo odia ir al banco. Poco a poco nos hemos acostumbrado, o nos acostumbraremos, a hacer todos los trámites desde la web: pagos y transferencias, consultas… Sin embargo, siguen existiendo los cheques bancarios, que solo se pueden cobrar o ingresar en una sucursal física. Además, muchos clientes necesitan el contacto personal con los empleados de banca para sus negocios o sus ahorros. En todo caso, es probable que nuestras visitas a los bancos sean mucho menos frecuentes.

LOS CINES

Ahora podemos ver cualquier película cuando y donde queramos. Solo necesitamos una conexión a internet. ¿Eso significa que dentro de poco dejaremos de ir al cine? El rito de ver una película en una pantalla gigante y con un sistema de sonido espectacular sigue teniendo su magia. Sin embargo, las salas de cine están en crisis y muchas cerrarán en los próximos años.

LOS CANALES DE TV

Todos queremos ver nuestra serie favorita a la hora que queramos. O elegir entre miles de películas o programas. En el futuro, los canales de TV tendrán que ofrecer sus contenidos a todas horas y podremos decidir, en cualquier momento, qué queremos ver.

LAS TARJETAS DE CRÉDITO Y OTRAS IDENTIFICACIONES

El reconocimiento de las personas a partir de las características biométricas (las huellas digitales, el iris, o incluso el ADN) sustituirá a todos los demás sistemas de identificación. Los sensores colocados en cajeros automáticos, comercios, fronteras u organismos oficiales reconocerán a las personas y les permitirán hacer transacciones comerciales o gestiones administrativas sin otros documentos.

LA COCINA CASERA

La venta de platos precocinados ha aumentado mucho en los últimos años. Hoy en día, además, mucha gente come fuera de casa, en restaurantes de comida rápida. Este cambio en los hábitos de consumo se debe, sobre todo, al ritmo de vida actual: nadie tiene tiempo para cocinar. Sin embargo, todos estamos cada vez más preocupados por conseguir alimentarnos de forma saludable. ¿Buscaremos tiempo para recuperar la cocina sana y natural, las recetas de la abuela, los productos naturales no manipulados industrialmente? ¿O simplemente cocinaremos solo de vez en cuando, como una actividad de ocio excepcional?

Actividades

A ¿Crees que en un futuro próximo desaparecerán las cosas de las que se habla en el texto?

- Yo creo que las sucursales bancarias desaparecerán.
- Sí, es posible que desaparezcan…
- Pues yo no creo que desaparezcan porque…

B Anota las ideas del texto con las que estés de acuerdo completamente y aquellas con las que estés completamente en desacuerdo.

C Piensa ahora en qué está sucediendo y qué sucederá en el futuro con estas otras cosas. Elige una y escribe un pequeño texto.

- El dinero
- La escritura a mano
- El correo electrónico
- Los pasaportes
- Las gafas y las lentillas
- Los coches de gasolina
- Los ordenadores portátiles
- Los discos de música

D Lee tu texto al resto de la clase. Tus compañeros van a reaccionar a tus especulaciones.

Sí, claro, por supuesto.
Yo estoy de acuerdo.
Sí, es probable.
Yo no lo creo.

Yo opino que…
Yo pienso que…
Pues yo no creo que…

③ Inventos fantásticos
Mira estos inventos que se han presentado a un concurso.

SKYHELP

Para poder ayudar a personas en apuros, en catástrofes naturales o accidentes, a veces solo se puede llegar desde el aire. Pero es caro y difícil.

Solución: Skyhelp es un pequeño avión no tripulado que puede llevar hasta 10 kilos de carga a cualquier lugar donde se necesite.

X-MAR

El buceo puede llegar a ser muy peligroso. Muchos buceadores se han ahogado al desmayarse mientras estaban bajo el agua.

Solución: X-MAR es un chaleco salvavidas que utiliza una tecnología inteligente para controlar la respiración y los cambios en el cuerpo del buceador. Si detecta algún problema, el chaleco se infla y lleva al buceador hacia la superficie.

MOTO-02

Tenemos que bajar el coste de los combustibles y, para proteger el medio ambiente, hay que reducir la contaminación del aire y disminuir el número de coches de nuestras ciudades y carreteras.

Solución: Moto-O2 es una motocicleta que utiliza aire en lugar de gasolina. El motor funciona con aire comprimido, energía solar y eólica.

HUERTAS VERTICALES

El cultivo de alimentos suele estar lejos de donde se consumen. Esto genera grandes gastos en transporte y energía.

Solución: Construidas a partir de metales ligeros, las huertas verticales podrán producir cultivos durante todo el año en las mismas ciudades. Inspirado en las técnicas de cultivo de arroz en terrazas de China, las plantas crecen en una serie de pisos circulares que giran y reciben la cantidad adecuada de luz solar.

SÍGUEME

Las maletas son pesadas e incómodas de llevar, sobre todo para personas mayores o con algún tipo de minusvalía.

Solución: SÍGUEME es una maleta que, mediante una aplicación para el móvil, sigue a su dueño a una pequeña distancia. Si se aleja demasiado, el móvil del dueño comenzará a vibrar.

HOTEL NEPTUNO

Muchas personas quieren ver el fascinante mundo subacuático, pero no quieren o no pueden practicar el submarinismo.

Solución: Los turistas podrán alojarse en un increíble hotel bajo el agua y observar la vida del fondo del mar sin salir del hotel, desde la habitación o los restaurantes.

Actividades

 A Lee la descripción de los inventos y comenta con dos compañeros si ya están presentes en la sociedad o lo estarán pronto, y si te parecen útiles.

- A mí me parece que esto ya existe, ¿no?
- Yo no creo que exista.
- Pues pronto existirá, porque es muy práctico.

 B Ahora tú también puedes describir inventos reales recientes que conoces u otros imaginarios. Tus compañeros deberán decidir si existen o no.

- ¿Habéis oído hablar del grafeno?
- No, nunca.
- Pues es un nuevo material derivado del carbono que...

4 **¿Planificas o improvisas?**
Responde a este cuestionario. Luego, házselo a tu compañero y comparad vuestros resultados. ¿Quién planifica más su futuro?

¿Planificas tu futuro?

1. **¿Tienes previsto algún cambio en tu vida en las próximas semanas o en los próximos meses?**
a No tengo ni idea. Ya veremos...
b Sí, cuando termine este curso. Es probable que cambie de trabajo o que empiece a estudiar otra cosa.
c Sí, me voy al extranjero. Ya tengo los billetes.
d Otra respuesta: ...

2. **¿Te quedarás en la ciudad el domingo que viene?**
a No lo sé. Lo decidiré el domingo, cuando me despierte.
b Lo decidiré el viernes. Tal vez vaya a la playa.
c Sí, voy a pasar el fin de semana con unos amigos. Lo decidimos hace ya días.
d Otra respuesta: ...

3. **¿Empezarás a estudiar otro idioma además del español?**
a No estoy seguro/a.
b Cuando tenga un buen nivel de español, quizá sí.
c Sí, en septiembre empezaré a estudiar ruso. Ya tengo los libros.
d Otra respuesta: ...

4. **¿Sabes qué te pondrás mañana?**
a Lo primero que encuentre.
b Cuando me levante, lo decidiré.
c Sí, ya lo tengo preparado.
d Otra respuesta: ...

5. **¿Qué cenarás hoy?**
a ¡Yo qué sé! Lo que haya en la nevera.
b Cuando salga de la escuela, pasaré por el supermercado.
c Ya lo tengo todo cocinado.
d Otra respuesta: ...

6. **¿Qué harás al salir de clase?**
a Depende. Cuando salga, lo decidiré.
b A lo mejor llamo a alguien y quedo con algún amigo.
c He quedado con alguien.
d Otra respuesta: ...

Mayoría de...
a = ¡Menudo improvisador...! ¡No sabes ni lo que vas a hacer dentro de 5 minutos.
b = Eres muy razonable. Sabes que todo depende de las circunstancias.
c = Exageras un poco. No se pueden hacer planes tan inflexibles.
d = Vuelve a leer tus respuestas. ¿Eres más como A, como B o como C?

5 **Para que se cumplan los objetivos**
¿Qué crees que debe pasar para que se cumplan los objetivos de desarrollo del milenio? Completa con un compañero.

Objetivo	Lo que debe pasar
Para que *haya paz en el mundo...*	tiene que *desaparecer la pobreza.*
Para que...	hay que *dedicar más recursos a la investigación médica.*
Para que...	se debe...
...	...

6 **Transgénicos: ¿a favor o en contra?**
A. En una tertulia radiofónica se trata el conflicto de los cultivos transgénicos. Antes de escuchar, vais a hacer una lluvia de ideas: ¿qué sabéis de los transgénicos? ¿Qué argumentos hay a favor y en contra?

 43

B. Escucha a los participantes en el debate. ¿Quién está a favor y quién en contra? ¿Qué argumentos da cada uno? Y tú, ¿qué opinas?

	A favor	En contra	Argumentos
El tertuliano			
La tertuliana			

LA EXPRESIÓN DE OPINIONES

Grados de seguridad en la opinión

- **(Yo) creo que...**
- **(Yo) pienso que...**
- **En mi opinión,...**
- **Estoy seguro/a de que...**
- **Me da la impresión de que...**
- **Tal vez...**
- **Quizá/s...**

+ indicativo el futuro **será** mejor.

- **(Yo) no creo que...**
- **(Yo) dudo que...**
- **(Yo) no estoy seguro/a de que...**
- **(No) es probable que... posible que...**
- **Tal vez...**
- **Quizá/s...**

+ subjuntivo el futuro **sea** mejor.

Clarificar las opiniones

- **Lo que quiero decir es que...**
- **No, no, lo que quería decir no es eso.**
- **¿Lo que quieres decir es que...?**

Aprobar otras opiniones

- **Sin duda.**
- **Sí, claro, por supuesto.**
- **Desde luego.**

- **Sí, es probable / posible.**
- **Sí, puede ser.**
- **Sí, tal vez / quizá sí.**

Mostrar escepticismo

- **(Yo) no lo creo.**
- **No estoy (muy) seguro/a de eso.**

Mostrar rechazo

- **No, qué va.**
- **No, en absoluto.**
- **No, de ninguna manera.**

CUANDO **CON IDEA DE FUTURO**

Cuando + subjuntivo

- **Cuando termine** este curso, iré de vacaciones a Cuba para seguir practicando mi español.
- **Cuando salga** de clase, pasaré por el supermercado para comprar fruta.

PARA / PARA QUE

En frases con el mismo sujeto

- Muchos activistas luchan **para frenar** el uso de cultivos transgénicos.

En frases con sujetos genéricos

- Hay que invertir más en investigación **para detener** la malaria.

En frases con sujetos diferentes

- Varias organizaciones trabajan **para que** los niños **estén** escolarizados.

CONTINUIDAD E INTERRUPCIÓN

Seguir + *gerundio*
Seguir + **sin** + *infinitivo*

Dejar de + *infinitivo*
Ya no + *presente*

● Yo creo que en el futuro **dejaremos de llevar** dinero en metálico.
○ Pues yo creo que **seguiremos llevando** dinero, pero menos.

● Yo **ya no** tengo ningún CD.

● Yo **sigo sin entender** lo que dices.

CONECTORES: ARGUMENTACIÓN

Aportar más razones

● **Además,**...
● **Incluso**...

Sacar conclusiones

● **Así que**...
● **Entonces,**...
● **Total, que**...

Presentar nuevos argumentos o conclusiones

● **De todas maneras,**...
● **En cualquier caso,**...

Contraponer razones

● **Ahora bien,**...
● **Pero**...
● **Bueno,**...
● **Sin embargo,**...

Aludir a un tema ya planteado

● **En cuanto a** (eso de que)...
● **(Con) respecto a** (eso de)...
● **Sobre**...

> Respecto a eso que ha dicho Tere, que no habrá tantas guerras, yo no estoy tan segura.
>
> Yo tampoco. Ahora, lo que sí es probable es que sean muy locales.

CONSULTORIO GRAMATICAL
Páginas 147-150 ▶

---

7 **Profecías para el futuro**

A. Lee este texto y escribe en cada espacio el conector más apropiado.

En todas las épocas la gente ha querido conocer el futuro. Brujas, adivinos, videntes y artistas han descrito el futuro a sus contemporáneos. **(1)** , hacer predicciones no es fácil y todos ellos se han equivocado. **(2)** _____, todos no: casi todos. Algunos han acertado; por ejemplo, Julio Verne, que en el siglo pasado ya previó el submarino, la televisión y los viajes espaciales. **(3)** _____, J. Verne es también una excepción por su optimismo: un optimista entre los pesimistas. **(4)** _____, la mayor parte de las predicciones eran una mezcla de pesimismo, desconfianza hacia el progreso, y nostalgia del pasado. ¿Muestras de toda esta desconfianza? Muchas: en el s. XVII la iglesia católica consideraba la cirugía un método antinatural para aliviar el dolor; 200 años más tarde, algunos científicos respetables decían que la luz eléctrica nos dejaría ciegos a todos; **(5)** _____ se llegó a decir que la velocidad del tren era peligrosa para la circulación de la sangre. Actualmente las cosas no son muy distintas. Si miramos a nuestro alrededor, comprobaremos que hay cantidad de razones para el optimismo: la medicina ha demostrado su eficacia al servicio de una vida más sana, más larga y con menos dolor; **(6)** _____, sus costes se han abaratado y sus beneficios se han extendido a todas las clases sociales. **(7)** _____ sigue habiendo muchas personas que desconfían de las ciencias y de las tecnologías. **(8)** _____, yo me atrevo a hacer aquí dos predicciones: la humanidad seguirá mejorando en todos los sentidos. Y los seres humanos continuaremos quejándonos y pensando que "era mejor cuando era peor".

Luis Rojas Marcos (*El País Semanal*)

ahora bien	incluso	sin embargo	en cualquier caso
bueno	de hecho	además	

B. ¿Y tú? ¿Estás de acuerdo o en desacuerdo? Coméntalo con un compañero.

● Yo no creo que la humanidad vaya a seguir mejorando.
○ Pues a mí no me da la impresión de que...

8 **¿Ciencia ficción o realidad?**

Fíjate en la cadena del ejemplo. En equipos, construimos nuevas cadenas con la misma estructura. Gana el equipo que haga la cadena más larga.

Cuando todo el mundo tenga agua, se podrá cultivar la tierra en todas partes.

↓

Cuando en todas partes se pueda cultivar la tierra, se acabará el hambre en el mundo.

↓

Cuando se acabe el hambre en el mundo, no habrá guerras.

↓

Cuando no haya guerras, las relaciones entre las culturas serán mejores.

↓

Cuando...

▶ Cuando todos los coches funcionen sin gasolina...
▶ Cuando podamos habitar otros planetas...
▶ Cuando los robots sean más inteligentes que los humanos...
▶ Cuando podamos transportarnos en el tiempo...
▶ Cuando la mayor parte de los cultivos sean transgénicos...
▶ Cuando vivamos hasta los 150 años...
▶ Cuando todo el mundo sepa leer...
▶ Cuando...

GENTE QUE OPINA

9 **Siete preguntas sobre el futuro**

El periodista venezolano Moisés Naím planteó en un artículo, entre otras, estas siete preguntas sobre el futuro. Intenta contestarlas individualmente y después comenta tus respuestas con un compañero. ¿Podéis añadir otras?

7 PREGUNTAS SOBRE EL FUTURO

1. ¿Lograremos limitar el aumento de la temperatura de la tierra a tres grados Celsius o habrá subido hasta ocho grados o más? Si el incremento alcanza o sobrepasa los ocho grados, el planeta y sus habitantes enfrentarán realidades climáticas radicalmente distintas de las que hemos tenido hasta ahora. Este ya no es un debate. En los últimos 50 años, la temperatura promedio de la superficie del planeta se ha elevado 0,911 grados. Y el aumento de otros tres grados es ya imparable.

2. ¿Seremos 16.000 millones de habitantes en el mundo o solo 6.000 millones? Estas son las posibilidades que maneja Naciones Unidas con respecto a la población del planeta en 2100.

3. ¿Cuántos países tendrán armas nucleares en 2100? ¿Ninguno? ¿25? Este es el número de países que, según los expertos, podrían tener bombas atómicas en las próximas décadas. Hoy hay nueve.

4. ¿Cuál será el modelo de gobierno en el futuro: democracias o regímenes autoritarios?

5. ¿Continuará la rápida expansión de la clase media de esta década, en los países más pobres y poblados del mundo, o serán más bien la pobreza, la desigualdad económica y la exclusión las tendencias dominantes?

6. ¿Seguirá profundizándose la globalización, gracias a las tecnologías que disminuyen la distancia y los costes de comunicación y transporte? ¿O, por el contrario, los problemas sociales producidos por la globalización alimentarán el nacionalismo y disminuirá el movimiento de personas, productos, dinero e ideas?

7. El poder económico, político, militar y social, ¿estará más o menos concentrado?

(Fuente: *El País*)

10 **Preparamos hoy el mundo de mañana**

En un programa de debate de la tele, esta noche se trata el tema del futuro de la humanidad. ¿Qué debemos hacer hoy para preparar un futuro mejor? Vamos a simular que nosotros somos los tertulianos.

A **NUESTROS TEMAS**

Con un compañero elegimos el tema que nos parezca más interesante. Podemos añadir otros.

- EL CAMBIO CLIMÁTICO
- LA CONSERVACIÓN DEL MEDIO AMBIENTE
- LA MEDICINA, LA ESPERANZA DE VIDA Y EL CRECIMIENTO DE LA POBLACIÓN
- LAS RELACIONES PERSONALES Y FAMILIARES
- LAS RELACIONES INTERNACIONALES
- LAS GUERRAS Y LOS CONFLICTOS LOCALES
- LOS MOVIMIENTOS MIGRATORIOS
- LAS RELACIONES ENTRE LAS DIFERENTES CULTURAS
- EL TRABAJO Y EL DESEMPLEO
- LOS DESEQUILIBRIOS ENTRE PAÍSES RICOS Y POBRES
- LA ENSEÑANZA Y LOS SISTEMAS EDUCATIVOS
- LOS DERECHOS HUMANOS
- …

HABLANDO SE ENTIENDE LA GENTE

PREPARAMOS HOY EL MUNDO DE MAÑANA

OS SERÁ ÚTIL...

Cuando te ceden el turno

Bien,...
Mmm, pues...

Si quieres intervenir

Una cosa:...
Yo quería decir que...

Para mantener la atención del otro

..., ¿no?
..., ¿verdad?

Contradecir moderadamente

No sé, pero yo creo que...
Sí, ya, pero...

Puede que { **sí, pero...**
sea así, pero
tengas razón, pero... }

Contradecir abiertamente

Pues yo no lo veo así, yo creo que...
En eso no estoy (nada) de acuerdo.

¿Que no habrá bastante energía? Pues claro que habrá.

Yo no he dicho eso. He dicho que tendremos que ahorrar energía.

B ¿A QUIÉN VAMOS A REPRESENTAR?

Buscamos a otra pareja que quiera debatir el mismo tema y nos repartimos los papeles. Cada uno debe representar a un sector social.

- CIENTÍFICOS E INVESTIGADORES
- ECOLOGISTAS
- EDUCADORES
- MIEMBROS DE ONG

- REPRESENTANTES SINDICALES
- POLÍTICOS
- EMPRESARIOS
- JÓVENES

- ARTISTAS E INTELECTUALES
- FEMINISTAS
- ECONOMISTAS
- RELIGIOSOS
- ...

C EL GUIÓN DE LA INTERVENCIÓN

- Elige los dos aspectos que te parezcan más importantes.
- Haz una lista de los PROBLEMAS que tiene el mundo actual en esos dos ámbitos.
- Pon algún EJEMPLO o algún caso concreto de esos problemas.

- Haz otra lista de posibles SOLUCIONES para resolver esos problemas y para prevenir que no vuelvan a surgir.
- Prepara los ARGUMENTOS y las RAZONES en las que se basan tus opiniones.

D EL DEBATE

- Cada grupo representa el debate frente a toda la clase.
- Entre todos debéis llegar a crear un programa conjunto con cinco puntos de actuación en los que estéis todos de acuerdo.
- El profesor o un compañero moderará el debate.

- Uno o dos compañeros harán de secretarios. Tomarán nota de los puntos en los que haya mayor acuerdo.
- Al final, los secretarios los expondrán a toda la clase.
- Podemos filmar el debate para después poder evaluarnos.

GENTE QUE OPINA

DOS VOCES PARA UN MUNDO MEJOR

El programa *Argentina para Armar* en el canal Todo Noticias realizó, en 2009, una entrevista al uruguayo **Eduardo Galeano**, una de las voces más importantes y más críticas de la literatura en español de nuestros tiempos. En la entrevista analizaba la realidad del mundo. De ella proceden estas afirmaciones especialmente polémicas.

Otra voz crítica, **Joan Manuel Serrat**, cantautor español, planteó, ya hace más de 30 años, en su disco *En tránsito*, temas que hoy siguen siendo muy actuales.

[1] "Esta crisis es la confirmación de que el mundo está al revés: se recompensa la especulación y se castiga el trabajo."

[2] "El mercado le tendría que pedir perdón de rodillas al mundo porque ha sido un dios implacable que lo ha conducido a una catástrofe."

[3] "La cultura dominante habla de carrera, dice que hay que llegar, que hay que tener éxito. Eso es mentira, no se vive para ganar, se vive para vivir."

[4] "En el mundo no hay una democracia de verdad, en el mundo hay ciudadanos de primera, de segunda, tercera y cuarta categoría, y muertos también."

[5] "El mundo merece un mejor destino, quiso ser una casa de todos y merece ser algo mejor que un matadero o un manicomio."

[6] "Los jóvenes no creen, y quizás tienen razón en no creer cuando asisten al espectáculo de circo que muchos políticos dan: prometen el oro y el moro, y después, desde el poder, hacen exactamente lo contrario de lo que habían dicho."

[7] "Cada minuto mueren en el mundo diez niños por hambre o por una enfermedad curable, y cada minuto, el mundo gasta tres millones de dólares en industria militar. ¿Qué clase de especie es esta, que se dedica al exterminio del prójimo?"

[8] "No creo que estemos condenados a repetir la historia, ni creo en la fatalidad del destino, creo que somos libres a pesar de todo, y que las cosas se pueden cambiar."

A QUIEN CORRESPONDA

Un servidor,
Joan Manuel Serrat,
casado, mayor de edad,
vecino de Camprodón, Girona,
hijo de Ángeles y de Josep,
de profesión cantautor,
natural de Barcelona,
según obra en el Registro Civil,
hoy, lunes 20 de abril de 1981,
con las fuerzas de que dispone,
atentamente

EXPONE (dos puntos)

Que las manzanas no huelen,
que nadie conoce al vecino,
que a los viejos se les aparta
después de habernos servido bien.

Que el mar está agonizando,
que no hay quien confíe en su hermano,
que la tierra cayó en manos
de unos locos con carné.

Que el mundo es de peaje y experimental,
que todo es desechable y provisional.

Que no nos salen las cuentas,
que las reformas nunca se acaban,
que llegamos siempre tarde,
donde nunca pasa nada.

Por eso
y muchas deficiencias más
que en un anexo se especifican,
sin que sirva de precedente,
respetuosamente

SUPLICA

Se sirva tomar medidas
y llamar al orden a esos
chapuceros
que lo dejan todo perdido
en nombre del personal.

Pero hágalo urgentemente
para que no sean necesarios
más héroes ni más milagros
pa' adecentar el local.

No hay otro tiempo que el que nos ha "tocao",
acláreles quién manda y quién es el "mandao".

Y si no estuviera en su mano
poner coto a tales desmanes,
mándeles copiar cien veces
que "Esas cosas no se hacen".

Gracia que espera merecer
del recto proceder
de quien no suele llamarse a engaño,
a quien Dios guarde muchos años,
amén.

11 **Un mejor destino para el mundo**
A. Lee las afirmaciones de Galeano. Señala con cuáles estás...

	1	2	3	4	5	6	7	8
muy de acuerdo								
de acuerdo en parte								
nada de acuerdo								

B. Coméntalo con varios compañeros dando tus razones.

12 **Una instancia**
A. La canción de Serrat imita una instancia. ¿Sabes qué tipo de texto es? ¿A quién crees que podría estar dirigida?

B. ¿Estás de acuerdo con lo que Serrat "expone"? Escribe tu propia instancia.

8

Vamos a participar en un foro y a elaborar un decálogo sobre relaciones personales.

Para ello, aprenderemos:

- a describir relaciones entre las personas,
- a expresar sentimientos y estados de ánimo, y a hablar de ellos,
- a expresar cambios en las personas,
- a dar consejos y a hacer valoraciones,
- a describir y valorar el carácter,
- usos de **pasar** (**pasarlo** / **pasarle** / **pasársele**),
- los superlativos en **-ísimo**,
- **poner** / **ponerse**,
- construcciones impersonales valorativas con infinitivo y con subjuntivo,
- **un poco** / **poco**.

gente
con
carácter

1 **Un día complicado**

A. Mira las imágenes. ¿Qué problemas ha tenido hoy Sofía?

 ● Yo creo que ha tenido mucho trabajo.

B. Relaciona cada imagen con alguna de estas cosas que le han pasado hoy. Compara tus resultados con los de un compañero.

1. Ha discutido con su compañera de piso por la limpieza de la casa. Su compañera es muy caótica.
2. Su novio le ha dicho que no van a pasar juntos el fin de semana porque es el cumpleaños de su madre y tiene que ir a su pueblo. Allí vive la ex de su novio.
3. Ha tenido que presentar un trabajo en la universidad y hablar delante de toda la clase.
4. Ha ido al banco y ha visto que este mes va muy mal de dinero.
5. En la oficina hoy ha sido un día de locos y no han podido terminar el trabajo. Su jefe estaba muy enfadado.
6. Ha ido al dentista porque le dolía una muela.

C. Trabaja con un compañero: ¿cómo crees que es Sofía? Razonadlo.

SOFÍA...	Me parece que sí.	Me parece que no.	No lo sé.
Se pone muy nerviosa cuando está estresada.			
Es una persona muy equilibrada.			
Se lleva bien con su suegra.			
Es un poco celosa.			
Es una persona un poco insegura.			
Le da miedo ir al médico.			
No soporta el desorden.			
Es un poco tímida y le da vergüenza ser el centro de atención.			
Está preocupada por su economía.			
Tiene miedo de que la despidan.			
Se queda fatal cuando discute con alguien.			

D. ¿Te pareces a Sofía en sus reacciones o en su carácter? Coméntaselo a los compañeros de clase.

 ● Yo también me pongo muy nervioso cuando tengo que hablar en público.

2 **¿Qué es el amor?**
En estas citas se define el amor.

**El amor es una amistad
con momentos eróticos.**
Antonio Gala (1930) Dramaturgo,
poeta y novelista español.

**El enamoramiento es un estado de miseria
mental en que la vida de nuestra conciencia
se estrecha, empobrece y paraliza.**
José Ortega y Gasset (1883-1955)
Filósofo y ensayista español.

**Palabra de cuatro
letras, dos vocales, dos
consonantes y dos idiotas.**
Anónimo.

**El verdadero
amor no es otra
cosa que el deseo
inevitable de
ayudar al otro
para que sea
quien es.**
Jorge Bucay
(1949) Escritor
y psicoterapeuta
argentino.

**Ay, amor,
tan necesario como el sol.**
Cuco Valoy - Merengue viejo
(clásico).

**Amar duele
te duele
me duele.**
Julieta Venegas
(1970) Compositora
y cantante mexicana.

**Amores que matan
nunca mueren.**
Joaquín Sabina (1949)
Cantautor español.

El amor es física y química.
Severo Ochoa (1905-1993)
Médico español.

Actividades

 A Lee las citas sobre el amor y elige una con la que
estés de acuerdo y otra con la que no. Explica tus
razones a tus compañeros.

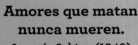 ● A mí me gusta "Amar duele", porque cuando estás
enamorado siempre sufres.

 B Intenta tú mismo hacer una definición del amor,
en una o dos frases, y léela a tus compañeros.

 ● El amor es...

3 **Dos visiones del amor**
En estas citas se define el amor.

AMOR Y PASIÓN

Luis Rojas Marcos (*El País Semanal*)

La pasión romántica es una emoción primitiva, a la vez sublime y delirante. Está en los genes y se alimenta de fuerzas biológicas muy poderosas. Se han identificado compuestos específicos como la feniletilamina y la dopamina que acompañan a este frenesí que es el enamoramiento.

El flechazo entre dos personas es algo similar a la reacción química entre dos sustancias que al ponerse en contacto se transforman. Es una fiebre infrecuente y fugaz. Sacude a los hombres y a las mujeres un promedio de tres veces a lo largo de la existencia, y su duración no pasa de un puñado de meses. La razón de que nos seduzca ciegamente una persona y no otra es nuestro "mapa del amor" particular, que determina las características del hombre o la mujer que nos va a atraer, a excitar sexualmente, a fascinar. Esta guía mental, inconsciente y única, se forma en los primeros 12 años de la vida, a base de los atributos físicos y temperamentales de figuras importantes de nuestro entorno.

ELLOS Y ELLAS

Rosa Montero (*El País Semanal*)

Para nosotras, "ellos" son desconcertantes y rarísimos, del mismo modo que nosotras somos siempre un misterio absoluto para ellos. He tardado muchos años en llegar a comprender que si me gustan los hombres es precisamente porque no los entiendo. Porque son unos marcianos para mí, criaturas raras y como desconectadas por dentro, de manera que sus procesos mentales no tienen que ver con sus sentimientos; su lógica con sus emociones, sus deseos con su voluntad, sus palabras con sus actos. Son un enigma, un pozo lleno de ecos. Y esto mismo es lo que siempre han dicho ellos de nosotras: que las mujeres somos seres extraños e imprevisibles.

Y es que poseemos, hombres y mujeres, lógicas distintas, concepciones del mundo diferentes; somos polos opuestos que al mismo tiempo se atraen y se repelen. ¿Qué es el amor sino esa gustosa enajenación; el salirte de ti para entrar en el otro o la otra, para navegar por una galaxia distante de la tuya? De manera que ahora, cada vez que un hombre me exaspera y me irrita, tiendo a pensar que esa extraña criatura es un visitante del planeta Júpiter, al que se debe tratar con paciencia científica y con curiosidad y atención antropológicas (...). Hombres, (...) ásperos y dulces, amantes y enemigos; espíritus ajenos que, por ser "lo otro", ponen las fronteras a nuestra identidad como mujeres y nos definen.

Actividades

A Lee los textos de Rosa Montero y de Luis Rojas Marcos. Anota en tu cuaderno aquellas frases con las que estás más de acuerdo y aquellas con las que no. Luego, comenta con tus compañeros tus puntos de vista.

B Escucha estas historias sobre parejas. Completa el cuadro y comenta tus observaciones con un compañero.

44-47

	¿Qué les pasa o ha pasado?	¿Crees que tiene solución?	¿Qué deberían hacer?
1			
2			
3			
4			

C ¿Y tú? ¿Conoces a alguien con problemas similares? Cuéntaselo a tu compañero.

● A un amigo mío le pasó lo mismo que a la primera persona que habla.

4 El típico test

48

A. Amaya le hace las preguntas de un test de revista del corazón a su amigo Óscar. Escucha lo que dice y marca sus respuestas.

B. En parejas, comparad vuestros resultados. ¿Creéis que Óscar está enamorado?

● Quizás sí, porque dice que se pone triste...

C. Subraya los verbos que sirven para expresar sentimientos. ¿Cómo funcionan? ¿Cuál es el sujeto?

¿ESTÁS ENAMORADO O SIMPLEMENTE NO QUIERES ESTAR SOLO?	SÍ	NO	A VECES
1. ¿Te pones de buen humor cuando vais a encontraros?			
2. ¿Tienes celos?			
3. ¿Te pone triste no poder verlo/la?			
4. ¿Tienes miedo de perderlo/la?			
5. ¿Te enfadas a menudo con él/ella porque no te entiende?			
6. ¿Te ponen nervioso/a algunas cosas que hace?			
7. ¿Te preocupa la soledad?			
8. ¿Te da pena no ver a tus ex?			

5 Es bueno escuchar

A. Lee estos dos textos y señala, en cada uno, los tres consejos que te parecen más importantes.

Manual del hijo perfecto

1. Recuerda que tus padres son humanos y que tienen defectos, como todo el mundo. Y no los compares nunca con los padres de tus amigos.
2. Con la edad, todos nos volvemos más rígidos: no esperes que entiendan siempre tus puntos de vista.
3. Disfruta de su compañía. Cuando no los tengas, los echarás en falta.
4 Llámales por teléfono siempre que vayas a llegar tarde. No les des motivos de preocupación innecesariamente.
5. Consulta con ellos las decisiones importantes que vayas a tomar.
6. Recuerda que son tus padres, no tus amigos.
7. Exígeles respeto a tu intimidad y a tus decisiones. Recuerda que tu futuro lo decides tú.

Manual de los padres perfectos

1. No tengáis miedo a prohibirles cosas a vuestros hijos. Tenéis que saber decir no.
2. Alabadlos cuando hacen algo bien; no comentéis los pequeños fallos que cometan.
3. Buscad todos los días unos momentos para hacer algo con ellos.
4. Escuchadlos cuando hablan, no los interrumpáis, interesaos por lo que dicen.
5. No los comparéis con sus hermanos o con los hijos de otros amigos.
6. Respetad su personalidad y su forma de ser. Son vuestros hijos, no una copia de vuestros sueños.
7. Respetad su vida privada y su intimidad. Ser padres no os da derecho a intervenir en todos sus asuntos.

B. Trabaja con un compañero y comparad vuestras opiniones. Tenéis que llegar a un acuerdo para elegir los tres consejos más importantes de cada manual.

● Escuchar a los hijos cuando hablan es muy importante.
○ Sí y, sobre todo, es bueno que los padres se interesen por ellos.

C. Ahora, en pequeños grupos, podéis escribir el manual para una de estas relaciones:

-el profesor o el alumno perfectos
-la pareja perfecta
-el compañero de trabajo o el jefe perfectos

SENTIMIENTOS Y ESTADOS DE ÁNIMO

Expresar miedo, risa y vergüenza

● **Me da miedo estar** solo.
  (a mí)   (yo)
● **Me da pena cuando/si** los niños **lloran**.
  (a mí)   (los niños)
● **Me da lástima que** la gente **discuta**.
  (a mí)   (la gente)

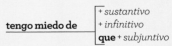

● **Tengo miedo del examen del lunes.**
● **Tengo miedo de perder el trabajo.**
● **Tengo miedo de que María** no **me llame** más.
  (yo)   (María)

Con verbos reflexivos: ponerse, sentirse y enfadarse

● **Eva se pone** nerviosa **cuando** la gente **discute**.
● **Me enfado** mucho **si** me **dicen** mentiras.
● **Luis se siente** fatal **si** la gente **discute**.

¿Te has enfadado con Paco?
Sí, es que me pone muy nerviosa.

Poner a alguien contento / nervioso...

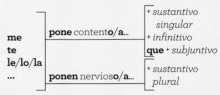

● Me pone nervioso **el ruido**.
● Me pone de mal humor **esperar**.
● Me pone muy contento **que vengas**.
● Me ponen muy nervioso **las esperas**.

Expresar preocupación

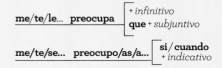

Pasarlo mal / fatal

- Adrián **lo pasa fatal** cuando **viaja** en avión.

Preguntar por el estado de ánimo

- ● ¿Qué le pasa?
- ○ **Está preocupado por** su novia.
  nervioso por el examen.
  de mal humor.
  enfadado conmigo.
           contigo.
           con él/ella.
           con …

EL CARÁCTER

- ● **¿Cómo es?**
- ○ Es **muy** amable.
  Es **bastante** agradable.

  Es **poco** generoso/a.
  (=no suficientemente, con *adjetivos positivos*)
  Es **un poco** egoísta.
  (*adjetivos negativos*)

  No es **nada** celoso/a.

Para criticar a alguien

- ● **Es un** egoísta / **una** estúpida.
- ● **Son unos** egoístas / **unas** estúpidas.

Nunca dice hola. Es una antipática.

CONSEJOS Y VALORACIONES

Con infinitivo

- ● **Es** [bueno / importante / necesario / útil / conveniente] **escuchar** a los hijos.
  (= *todo el mundo*)

Con subjuntivo

- ● **Es** [bueno / importante / necesario / útil / conveniente] **que escuches** a tus hijos.
  (= *tú*)

CONSULTORIO GRAMATICAL
Páginas 151-153 ▶

---

 6 **Cosas que me ponen de mal humor**

A. Este es Juan y estos son algunos de sus sentimientos. ¿Cómo los puedes formular? Observa el ejemplo.

LE DA/N MIEDO...   Le da miedo ponerse enfermo.   Le dan miedo las tormentas.   Le da miedo que haya una guerra.

LE DA/N PENA...

LE DA/N VERGÜENZA...

LO (LE) PONE/N DE BUEN HUMOR...

LO (LE) PONE/N NERVIOSO...

LE PREOCUPA/N...

SE ENFADA...

B. Ahora formula los sentimientos que te producen a ti estas cosas y contrástalos con los de Juan. Después informa a tus compañeros.

- ● A mí también me dan miedo las tormentas.
- ○ Pues a mí no me dan nada de miedo.

Tengo un problema
En este foro, algunas personas cuentan sus problemas y piden consejo. ¿Qué les
podemos decir? Con un compañero, escribe una respuesta para dos de los posts.

gente
que habla

¿Tienes un problema? ¡Cuéntalo aquí!

DISCUTIMOS POR CUALQUIER COSA
Estoy enamoradísima de mi pareja, pero, últimamente, nos peleamos por cualquier tontería. En realidad, somos muy
diferentes. Yo soy muy puntual y él siempre llega tarde. Yo soy muy ordenada y él es un caótico. Son cosas sin importancia, pero que nos molestan a los dos. Hoy, por ejemplo, estoy muy enfadada con él porque le he estado esperando
una hora en un bar. ¿Tiene solución?

Pili, 27

  0

MIS AMIGOS ME BUSCAN NOVIA
Mis amigos y amigas están obsesionados con que encuentre novia. Según ellos, porque me ven triste y tienen miedo
de que me quede solo. ¡Si solo tengo 35 años…! La verdad es que soy el único en el grupo que no tiene pareja, pero
a mí no me importa. Me pone nervioso que me presenten cada sábado una chica nueva que según ellos "me encanta-
rá". Que me dejen tranquilo, ¿no? Algún día me enamoraré de verdad. ¿Qué opináis?

Soltero, 35

 0

ME LLEVO MAL CON LA JEFA
Tengo problemas con mi jefa. Creo que le caigo mal porque nunca está contenta con lo que hago. Me da vergüenza
que me critique delante de los demás y me pongo nerviosísimo cuando tengo que reunirme con ella. Pero me gusta
mi trabajo y creo que lo hago bien. ¿Qué puedo hacer?

Evaristo, 36

 0

¿CULTURAS INCOMPATIBLES?
Mi marido y yo nos entendemos muy bien en general, pero venimos de culturas muy distintas, especialmente en cuan-
to al papel de la religión y de la familia. Por ejemplo, a mí me molesta que su madre opine sobre todo lo que nosotros
hacemos o nuestros planes. Pero yo estoy muy enamorada de él y nos llevamos muy bien cuando estamos solos.
Me preocupa que las cosas sean cada vez más difíciles y que al final tengamos problemas de verdad entre nosotros.
¿Alguien tienen el mismo problema? ¿Qué hay que hacer en estos casos?

Alma, 39

Comentar 0

ME SIENTO SOLA Y SOY TÍMIDA
Hace poco que vivo en la ciudad y no conozco a mucha gente. Y me siento un poco sola. Además, como soy muy
tímida me da muchísima vergüenza acercarme a gente desconocida. Tengo un vecino que me parece muy interesante
y es mi tipo… Pero tengo miedo de invitarlo a tomar algo y que me diga que no. ¿Qué hago?

Sola, 29

Comentar 0

8 **El consultorio de la clase**

A. En parejas o pequeños grupos vais a escribir un texto como los del foro contando un problema. Intentad seguir las siguientes fases:

A NOS PONEMOS DE ACUERDO EN UN PROBLEMA DE RELACIÓN PERSONAL Y ESCRIBIMOS UN TÍTULO PARA NUESTRO MENSAJE EN EL FORO

B BUSCAMOS LAS PALABRAS QUE VAMOS A NECESITAR

C ESCRIBIMOS EL TEXTO (NO MÁS DE 100 PALABRAS)

B. El profesor va a redistribuir los textos y cada grupo preparará una presentación del problema y su respuesta.

● Nosotros tenemos a una persona que es muy celosa y tiene problemas con... Creemos que lo que tiene que hacer es...

9 **Las reglas de oro de las relaciones sin problemas**

A. Elabora con otros compañeros un decálogo para no tener problemas...

-con la pareja
-con los amigos
-con los hermanos
-con los compañeros de trabajo
-con...

PARA NO TENER PROBLEMAS CON LOS AMIGOS

1. Hay que ser siempre sincero.

2. No te enfades si...

3.

4.

5.

B. Podéis colgar vuestros decálogos en diversas paredes de la clase, leerlos todas y decidir cuáles son las reglas más originales, las más interesantes, las más discutibles...

GENTE CON CARÁCTER

MARIO BENEDETTI

Mario Benedetti (1920-2009) nació en Paso de los Toros, Uruguay. Se educó en un colegio alemán y se ganó la vida como taquígrafo, cajero, vendedor, contable, funcionario público, periodista y traductor. Tras el golpe militar de 1973, renunció a su cargo en la Universidad y tuvo que exiliarse, primero en Argentina y luego en Perú, Cuba y España.

Su obra comprende géneros tan diversos como la novela, el relato corto, la poesía, el teatro, el ensayo, la crítica literaria, la crónica humorística y el guión cinematográfico. Publicó más de 40 libros y sigue siendo uno de los escritores en lengua española más traducido.

MUSICA DE ALBERTO FAVERO

NACHA GUEVARA CANTA A BENEDETTI

Mario Daniel
BENEDETTI - VIGLIETTI

A dos voces

Muchos cantautores latinoamericanos y españoles han puesto música a poemas de Benedetti, como Silvio Rodríguez, Daniel Viglietti, Nacha Guevara, Soledad Bravo, Joan Manuel Serrat o Quintín Cabrera

[1]

Compañera
usted sabe
que puede contar
conmigo
no hasta dos
ni hasta diez
sino contar
conmigo
...
pero hagamos un trato
yo quisiera contar
con usted
       es tan lindo
saber que usted existe
uno se siente vivo
y cuando digo esto
quiero decir contar
aunque sea hasta dos
aunque sea hasta cinco
no ya para que acuda
presurosa en mi auxilio
sino para saber
a ciencia cierta
que usted sabe que
puede
contar conmigo.

[2]

Mi táctica es
       mirarte
aprender como sos
quererte como sos
mi táctica es
       hablarte
y escucharte
construir con palabras
un puente indestructible
mi táctica es
quedarme en tu recuerdo
no sé cómo   ni sé
con qué pretexto
pero quedarme en vos

[3]

Soñamos juntos
juntos despertamos
el tiempo hace o deshace
mientras tanto

no le importan tu sueño
ni mi sueño

[4]

Ustedes cuando aman
exigen bienestar
una cama de cedro
y un colchón especial
nosotros cuando amamos
es fácil de arreglar
con sábanas qué bueno
sin sábanas da igual

[5]

Tus manos son mi caricia
mis acordes cotidianos
te quiero porque tus manos
trabajan por la justicia

    si te quiero es porque sos
    mi amor mi cómplice y todo
    y en la calle codo a codo
    somos mucho más que dos

tus ojos son mi conjuro
contra la mala jornada
te quiero por tu mirada
que mira y siembra futuro

tu boca que es tuya y mía
tu boca no se equivoca
te quiero porque tu boca
sabe gritar rebeldía

 Poemas

A. Lee los fragmentos de poemas. ¿Qué tienen en común? Inventa un título para cada uno de ellos. Después compara tu título con el de algún compañero.

B. Estos son los títulos originales. ¿Se parecen a los que tú habías propuesto?

1. "Hagamos un trato"
2. "Táctica y estrategia"
3. "Intimidad"
4. "Ustedes y nosotros"
5. "Te quiero"

C. ¿Cuál de estos poemas te gusta más?

 D. Busca en internet versiones musicadas de estos u otros poemas de Benedetti. Elige una para escucharla con tus compañeros.

9

Vamos a escribir un mensaje a toda la clase y a referir el contenido de otro.

Para ello, aprenderemos:

– a escribir diferentes tipos de mensaje (notas, postales, correos electrónicos…),
– a referir lo dicho o lo escrito por otros en estilo indirecto,
– a pedir y a dar cosas,
– a pedir a alguien que haga algo,
– a pedir y a dar permiso,
– los posesivos (formas y usos),
– fórmulas en la correspondencia.

gente y

mensajes

1 **Mensajes de voz**

A. Esta mañana Nacho se ha dejado el móvil en casa. Varias personas le han llamado y le han dejado mensajes. Escúchalos y completa las tablas.

49-54

nº	¿Quién le ha llamado?
	su novia
	su hermano
	su madre
	un amigo
	su jefe
	de la consulta del médico

¿Qué quería?

quería invitarlo a…
quería pedirle…
quería contarle…
quería recordarle…
quería avisarle de que…
querían cancelarle…

B. Por la tarde, Nacho escucha sus mensajes y contesta con mensajes de texto. ¿Para quién es cada uno?

19:03 ✓✓ Confirmado. El miércoles a las 17 h me viene bien.

19:05 ✓✓ Tranquila, mamá. Mañana paso a verla al mediodía. Le voy a llevar unas flores. Besito.

19:08 ✓✓ Genial. Nos vemos el sábado. ¿Llevo algo? ¿Postre? Es a las 20 h, ¿no?

19:11 ✓✓ Pásame la dirección. Calle Serrano, ¿qué número? ¿Y a qué hora es la reunión?

19:14 ✓✓ Me va muy mal, tío. Esta semana tengo mucho trabajo y la voy a necesitar. ¿No puedes pedírsela a algún compañero de clase? O a mamá, que te deje la Vespa, que casi no la usa.

19:19 ✓ Lo siento, mi amor, me había olvidado el móvil en casa. Veo que estás desconectada. Mañana hablamos. Te quiero.

¿Enganchado a la red?

Este es un artículo sobre la relación que tenemos con las redes sociales.

¿POR QUÉ CREAN TANTA ADICCIÓN LAS REDES SOCIALES?

En la parada del autobús, en la sala de espera del médico, andando por la calle, en el trabajo, en una reunión, en un concierto, a la salida de clase, en el parque, en el ascensor, en una comida, en el baño, en la cocina... Con el móvil o la tableta a todas partes y a todas horas. Así se puede ver a cada vez un mayor número de personas, y a cada vez más jóvenes. No pueden dejar pasar un minuto sin entrar en Facebook, Twitter, responder a un mensaje de WhatsApp...

Por Laura Peraita

No son pocas las advertencias que se hacen desde algunas organizaciones sobre la necesidad de hacer un buen uso de las nuevas tecnologías porque, en pocas palabras, generan adicción, tanto a padres como a hijos. Pero, ¿cuáles son las verdaderas causas? ¿Por qué nos sentimos, en muchos casos, dominados por las redes sociales?

Gustavo Entrala, experto en la materia, explica las principales razones por las que enganchan tanto las redes sociales:

■ Twitter, Facebook... permiten con gran facilidad entrar en contacto con otras personas. Las relaciones que se generan son muy «light», pero basta con apretar un botón para que miles de personas te sigan.

■ En las redes sociales solo proyectamos lo positivo: lo bien que nos lo estamos pasando montando a caballo, en la playa, las fotos de una buena comida... Uno no percibe la verdadera realidad social de las personas porque no se cuentan las desgracias.

■ Producen una sensación de gratificación muy rápida. Yo escribo e inmediatamente hay una respuesta. Ese feedback produce un estímulo muy positivo. En Facebook, por ejemplo, no existe el botón de «no me gusta», lo que implica que los estímulos que uno recibe serán casi siempre positivos.

■ El teléfono, el ordenador... son todos ellos dispositivos que nos obedecen. Basta con teclear unas letras y apretar un botón para entrar en la web de ABC, buscar hoteles, información de un tema determinado, hacer una reserva en un restaurante, conseguir imágenes...

■ El ser humano, por naturaleza, desea sentirse querido, interesante, que le miren y observen. Si uno ha tenido un mal día y está de bajón, se conecta y compensa esa frustración con la sensación de popularidad en las redes.

■ Nos hacen sentirnos activos mientras buscamos información, respondemos mensajes, publicamos mensajes, fotos... aunque, en realidad, no estemos haciendo nada útil de verdad.

(Texto adaptado, *ABC*)

Test

A Tienes más de 400 amigos en la red. Lo primero que haces al despertarte y lo último, antes de dormirte, es consultar tus perfiles sociales, para leer los comentarios de tus amigos. Piensas que una noche de fiesta o unas vacaciones no son realmente divertidas si no cuelgas una foto. Realmente sufres cuando vas en metro y falla la cobertura, y una de las principales condiciones que debe cumplir tu hotel de vacaciones es tener Wi-Fi. Dentro de tu propia casa o en la oficina, prefieres mandar un mensaje a ir a otra habitación a hablar.

B Internet te parece muy útil pero no te preocupa estar desconectado. En realidad, solo te conectas una o dos veces al día y usas el correo electrónico, los mensajes de texto o tu perfil en redes sociales cuando tienes algo realmente importante que comentar. No siempre cuelgas fotos de tus viajes. Prefieres charlar cara a cara que escribir o leer mensajes o tuitear. Solo estás en dos o tres redes sociales y no tienes más que unos 100 amigos.

C Opinas que internet invade tu vida privada. Por eso no estás en ninguna red social. Te molesta que tus amigos suban fotos o vídeos en los que apareces. Muchas veces tienes el móvil desconectado. Para estar al día, lees periódicos y revistas y escuchas la radio.

Actividades

A ¿Participas en redes sociales? ¿Con qué frecuencia? Lee los perfiles del test, ¿con cuál te identificas más? Coméntalo con dos compañeros.

	A	B	C
Yo			
Un compañero			
Otro compañero			

B ¿Crees que hay mucha gente "adicta" a las redes sociales? ¿Por qué? Coméntalo con tu compañero antes de leer el texto.

C Lee el texto. ¿Estás de acuerdo? ¿Enganchan las redes sociales? ¿Por qué?

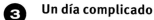

¡LLEGARÉ TARDE!
¿PUEDES IR A
COMPRAR?

- LECHE
- PAN
- ESPAGUETIS
- DETERGENTE
- CEREALES

3 **Un día complicado**

Julia trabaja en una agencia de publicidad. Hoy es un día con mucho trabajo y muchos mensajes, personales y profesionales.

11:07 √√ La cena es a las 9.30h en EL OLIVO. ¿Vienes sola?

11:08 √√ También se ha apuntado Aitor. No hay problema, ¿verdad?

11:09 √√ Tranquila, puede venir. He reservado para 5, pero llamo y reservo para 6.

11:10 √√ Genial. Hasta luego.

Para por mi despacho a partir de las 17 h. Tenemos que hablar del rodaje del día 15.
— Carlos

10:03 √√ Hermanita, no puedo ir a buscar a la niña al cole. Me han puesto una reunión en el hospital. 😰 Por la noche sí puedo quedarme con ella. Pero a partir de las 20 h. Vas a una inauguración o algo así, ¿no? ¿A qué hora?

10:04 √√ No te preocupes. Llamaré a la canguro. Ella se va a quedar hasta las 20h.

Tengo el placer de invitarla a la inauguración de la exposición "Miradas del sur" del pintor malagueño Emilio Santalucía, que tendrá lugar el próximo día 12 a las 19.30 h en la sede central del Instituto Quevedo.

TA

Tobías Anasagasti

Mensajes

Esteban:
Esto es una maravilla. Playa, sol y buena comida. Julia, ¿cuándo te escapas?

añadir archivos   añadir fotos   **Responder**

De: acastillog@plusproducciones.dif
Asunto: música del anuncio

Apreciada Julia:

¿Nos podemos ver un rato hoy? Estoy un poco preocupado por la música del anuncio que rodamos la semana que viene. Los clientes no están convencidos. Podemos reunirnos después de comer o comer juntos. Me acerco yo a la agencia si te viene mejor.

Un abrazo,

Alberto Castillo Garzón
PLUS PRODUCCIONES

Actividades

A Con un compañero, lee todos los mensajes que ha recibido Julia. ¿De quién crees que es cada uno? Luego, haced una lista con todo lo que tiene que hacer hoy en el orden más adecuado.

B Imagina que eres Julia e inventa respuestas posibles, si crees que es necesario responder a los mensajes.

C Julia también habla por teléfono varias veces.

🎧
55-59

	¿Con quién habla?	¿Qué pasa?	¿Qué le dicen?
1.			
2.			
3.			
4.			
5.			

D Después de escuchar las llamadas, ¿qué planes tiene que cambiar Julia? Revisa la lista que habéis hecho en el apartado A.

4 **Por favor**

A. Basilio está en la cama y no para de pedir cosas a todo el mundo. Prepara las frases que dice. A ver quién inventa más.

● Oye, ¿me pasas el mando a distancia? Es que quiero ver la tele.

B. Si vas a visitar a Basilio, tal vez tendrás que pedirle permiso para hacer estas cosas. ¿Cómo lo dirías? Trabaja con un compañero.

– subir un poco la persiana
– beber agua
– llamar por teléfono
– bajar la calefacción
– comerte un plátano
– hacerte un café
– poner la tele
– mirar unas fotos que están sobre la mesa

5 **Mensajes en el contestador**

La novia de Toño, cuando este llega a casa, le tiene que resumir los mensajes que ha escuchado en el contestador. Mira el ejemplo y haz las transformaciones de los otros recados para transmitírselos.

PACO, UN COMPAÑERO DE LA UNIVERSIDAD: Toño, tráeme el trabajo de geografía que te presté. O dáselo a Juanvi.

SU PADRE: Hijo... ¿Puedes pasarte el sábado? Ya sabes... Necesito que me ayudes a pintar el garaje. Ven pronto. Y, si no puedes, llámame.

RUBÉN, UN AMIGO INFORMÁTICO: Toño, ya tengo tu ordenador arreglado desde hace días. Ven a buscarlo cuando quieras. Tenía el mismo problema que el mío: un virus.

LILIANA, UNA AMIGA: Hola, Toño. ¿Vas a venir esta noche? Hemos quedado con Ana en mi casa. ¿Te acuerdas? Dile a tu hermano si quiere venir. ¡Hasta luego!

SU HERMANO PEQUEÑO: ¿Necesitas urgentemente tu bici? La mía todavía no está reparada. Si la necesitas... ¿me podrías prestar tu moto unos días? Un beso.

> Te ha llamado Paco. Dice que **le lleves** el trabajo de geografía que **te prestó** o que **se lo des** a Juanvi.

Referir preguntas

●**Me pregunta** — **si** vamos a ir.
qué queremos.
cuándo vamos a ir.
dónde vives ahora.

Dice que le han llevado a su casa un paquete para mí y que vaya yo allí a buscarlo.

Dile que lo traiga él aquí.

POSESIVOS

● Luis, ¿me dejas **tu** llave? **La mía** no va bien.
● Me ha pedido **mi** llave. **La suya** no va bien.

formas átonas	*formas tónicas*
mi herman**o**	**el mío**
mi herman**a**	**la mía**
mis herman**os**	**los míos**
mis herman**as**	**las mías**
tu herman**o**	**el tuyo**
tu herman**a**	**la tuya**
tus herman**os**	**los tuyos**
tus herman**as**	**las tuyas**
su herman**o**	**el suyo**
su herman**a**	**la suya**
sus herman**os**	**los suyos**
sus herman**as**	**las suyas**
nuestro herman**o**	**el nuestro**
nuestra herman**a**	**la nuestra**
nuestros herman**os**	**los nuestros**
nuestras herman**as**	**las nuestras**
vuestro herman**o**	**el vuestro**
vuestra herman**a**	**la vuestra**
vuestros herman**os**	**los vuestros**
vuestras herman**as**	**las vuestras**
su herman**o**	**el suyo**
su herman**a**	**la suya**
sus herman**os**	**los suyos**
sus herman**as**	**las suyas**

CONSULTORIO GRAMATICAL
Páginas 154-157 ▶

6 **Preguntar, decir o pedir**
Relaciona las frases de la izquierda con su significado y con la manera de transmitirlas. ¿Puedes deducir alguna regla? Coméntalo con un compañero.

UNA PETICIÓN DE INFORMACIÓN

UNA PROPUESTA

UNA INFORMACIÓN

UNA PETICIÓN DE PERMISO

Me ha preguntado **si vamos** a tomar algo esta noche.

Me ha dicho **que vayamos** a tomar algo esta noche.

Me ha dicho **que van** a tomar algo esta noche.

Me han pedido **si pueden** ir a tomar algo esta noche.

7 **El mensaje secreto**
En grupos de tres, elegimos al azar un objeto pequeño de la clase. Un alumno pide algo con respecto al objeto a un compañero, que debe transmitirlo a un tercero.

LA MOCHILA ROJA, PONEDLA EN LA MESA DE LA PROFESORA.

ME HA PEDIDO QUE *LA PONGAMOS* EN LA MESA DE LA PROFESORA.

60-64

8 **Ocupado o fuera de cobertura**

Os encontráis en las seis situaciones ilustradas en los dibujos. En parejas, preparad mensajes para dejar en los seis buzones de voz correspondientes. Luego, podéis grabarlos y escucharlos.

1

Tu gato está enfermo y llamas al veterinario.

2

Estás en una fiesta muy divertida y llamas a un amigo para proponerle que venga.

3

Quieres pedir hora con el oculista.

4

Estás enfermo en casa y llamas a una amiga para anular una cita que tienes con ella y pedirle que te compre unos medicamentos.

5

Acabas de llegar a la ciudad donde viven unos amigos y no sabes dónde alojarte.

9 **Los contestadores de los famosos**

En parejas, inventad el mensaje del contestador automático de algún personaje famoso de tu país o de un país hispanohablante. Después inventad un par de mensajes que les han dejado grabados. A ver si vuestros compañeros adivinan de quién es.

llamando...

10 El buzón de la clase

Cada uno de nosotros escribe una postal o un correo electrónico a toda la clase. Seguimos estos pasos.

Iguazú

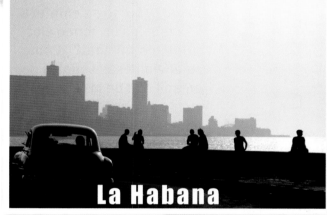
La Habana

SEGOVIA

A ESCRIBIMOS EL MENSAJE (UNA POSTAL, UN SMS, UN CORREO ELECTRÓNICO...)

El mensaje está dirigido a toda la clase. No lo firmes.
- Tienes que elegir desde dónde escribes (la playa, una casa de campo, un balneario o una ciudad española o latinoamericana...).
- Tienes que contar qué estas haciendo, explicar por qué estás ahí, imaginar que te ha pasado una cosa buena y una mala, y pedir un pequeño favor.
- Primero, planifica el texto y escribe un guión de lo que vas a contar. Luego, escribe un borrador, revísalo y después pásalo a limpio.
- Entrega el texto al profesor. Este los recogerá todos y los redistribuirá.

B EN GRUPOS LOS LEEMOS

Cada grupo recibirá algunos mensajes. Intentad adivinar quién ha escrito cada uno.

- Yo creo que esta postal es de Paul. Escribe desde la nieve y a él le gusta mucho esquiar...
- No, no puede ser. Es de una chica, dice que está muy "contenta".
- Ah, sí, es verdad.

Entre todos podéis corregir las faltas, si las hay, o mejorar los textos. Tenéis que transmitir a toda la clase el contenido del texto más divertido.

C DESPUÉS...

Podemos escribir algunas respuestas. Cada autor recupera su postal o su correo electrónico para ver las correcciones y recibe la respuesta, si la hay.

OS SERÁ ÚTIL...

Yo creo que esto no está bien escrito.
Esto no se dice así.
Esto no es correcto.
Hay que poner...
Aquí hay una falta.
Esta frase no me suena bien.
¿Se dice "ski" o "esquí"?
¿Es correcto decir "ski"?
¿(Esto) se dice así?
¿(Esto) se escribe así?

Queridos amigos:

Os escribo desde un lugar maravilloso. Estoy de vacaciones en Cuba. La Habana es una ciudad fascinante

Recuerdos a la profesora.

Un fuerte abrazo,

NECESITAMOS ESCRIBIR

Los cambios tecnológicos, en las últimas décadas, han dado un papel nuevo a la escritura. Mandamos constantemente correos electrónicos a amigos y a contactos profesionales. Chateamos, o sea, interactuamos en tiempo real por escrito, y mandamos sms o mensajes con WhatsApp. En las redes sociales, explicamos qué estamos haciendo y comentamos la actualidad o lo que han publicado nuestros amigos. En internet leemos blogs o artículos o tuits y opinamos sobre lo que hemos leído o hemos visto. Es decir, nunca se ha escrito tanto como ahora y textos tan variados. Al aprender un idioma es, pues, imprescindible aprender a comunicarse por escrito, tal como lo hacemos en nuestra lengua, y, para ello, observar las formas diferentes que piden los diferentes medios: unos son muy parecidos a la lengua oral coloquial, otros, mucho más formales.

Escribir no es fácil. Y menos aún en una lengua extranjera. Lo más cómodo y lo más rápido es hablar; también es lo más seguro: la mirada y los gestos nos ayudan a expresarnos mejor. Y, si vemos que hay un malentendido, lo podemos corregir inmediatamente. Hablar por

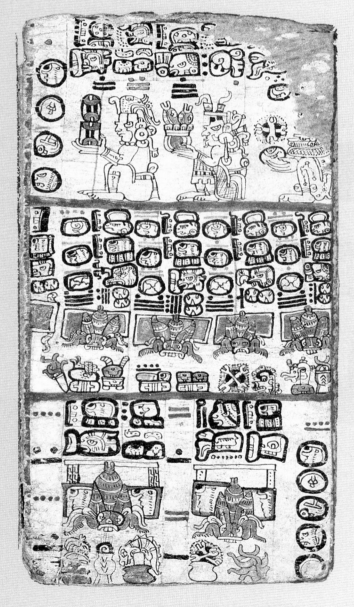

teléfono ya no es tan fácil, porque no vemos la cara de la otra persona, aunque oímos su voz. La voz es un excelente termómetro para percibir las emociones de la otra persona. Cuando escribimos, en cambio, no vemos la cara de la otra persona y tampoco oímos su voz. ¿Cómo se dicen las cosas por escrito? ¿Cómo se empieza y se termina un correo electrónico o un chat? ¿Cómo se envían esas señales de amabilidad de las que oralmente se encargan la mirada, el tono de voz, los gestos...? No nos expresamos igual en diferentes canales ni con personas diferentes.

Por suerte, disponemos actualmente de infinitas posibilidades de practicar y comunicarnos por escrito en español, de interactuar con amigos o con desconocidos. También están al alcance de todos nuevas herramientas: podemos leer todo tipo de textos para buscar modelos y mejorar los nuestros, y utilizar los correctores y los buscadores para solucionar dudas, observando los escritos de los nativos o consultando webs especializadas.

> **En un chat nadie pone acentos, ni puntos; cada vez somos más tolerantes con cómo se escribe. Si en un chat se te ocurre empezar a escribir bien, a los dos minutos dan un alerta de que ha entrado un psicópata. Todo lo que hay alrededor contribuye a que la lengua se vaya deteriorando**
>
> Juan José Millás

> **Nunca se ha escrito de forma pública una cantidad tan grande de textos. La gente necesita comunicarse y cuida su escritura**
>
> Mario Tascón

> **Los emoticonos son una manera más de comunicarnos**
>
> Judith González

11 **Escribir y aprender a escribir**

A. Antes de leer el texto, responde a estas preguntas según tus puntos de vista.

– ¿La gente escribe mucho actualmente? ¿Qué tipo de textos?
– ¿Es más fácil escribir o hablar? ¿Por qué?
– ¿Es importante aprender a escribir cuando aprendemos un idioma?
– ¿Cómo podemos mejorar nuestros escritos en español?

● Yo escribo comentarios en YouTube. Y me gustaría poder hacerlo en español.

B. Busca ahora las respuestas que da el texto. ¿Estás de acuerdo?

12 **La escritura en tiempos de internet**

Lee las tres citas. ¿Qué opinas sobre estos temas? ¿Se escribe bien en tiempos de internet? ¿Se escribe de otra forma?

10

Vamos a hacer un concurso en equipos sobre conocimientos culturales.

Para ello, aprenderemos:
- a buscar información y a reaccionar ante información nueva,
- a dar información con diferentes grados de seguridad.

Además, repasaremos:
- las formas verbales personales y no personales de los tiempos presentados durante el curso,
- los pronombres personales, los posesivos, los demostrativos, los artículos,
- otro/a/os/as,
- poco, suficiente, bastante, mucho...,
- algún/a, algunos/as; ningún/a/o,
- mismo/a/os/as,
- el género y el número del adjetivo.

A

B

C

gente que

sabe

1 **Argentina, México y Perú**

A. ¿Has estado en alguno de estos países? ¿Cómo te los imaginas? ¿De dónde crees que pueden ser estas fotos? Coméntalo con dos compañeros.

☐ Guanajuato
☐ Librería Ateneo de Buenos Aires
☐ Cataratas de Iguazú
☐ Cuzco
☐ Desierto de Nazca
☐ Plaza de Armas de Arequipa
☐ Cancún
☐ Dulces típicos del Día de Muertos
☐ Plaza Dorrego

● Yo diría que esto es México, porque hay mucho turismo en la costa, ¿verdad?
○ Sí, podría ser.
■ Sí, esto es Cancún, yo he estado.

B. En grupos de tres, anotad cosas que sabéis sobre estos temas. Poned una señal (✔) por cada dato que tengáis. Compartid con los compañeros la información de la que estáis seguros.

	geografía	política	personajes	objetos	arte y costumbres	celebraciones
Argentina						
México						
Perú						

● La capital de Perú es Lima.
○ Sí, y la de Argentina, Buenos Aires.

C. ¿Cuáles son los temas de los que no tenéis información o sobre los que no estáis seguros? Preguntad al resto de la clase.

Creemos que…, pero no estamos seguros.
No sabemos nada sobre …
¿Alguien sabe si / quién / cómo /dónde / cuántos…?

● ¿Alguien sabe algo de la política peruana?

 D. ¿Os interesa algún tema en particular sobre estos países? Buscad información en internet y guardad vuestras notas (os pueden servir también para preparar el juego de la sección Tareas).

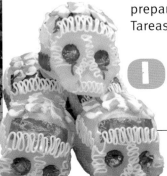

2 **¿Qué sabes de Chile?**

Estas son las preguntas que va a hacer el presentador de *Gente Sabionda*, un popular concurso de televisión sobre países del mundo. El tema de hoy es Chile.

1. Tiene fronteras con...
☐ Brasil, Argentina, Bolivia y la Antártida.
☐ Perú, la Antártida, Bolivia, Argentina y el océano Pacífico.
☐ la Antártida, Bolivia, Argentina y el océano Pacífico.

2. También forman parte de su territorio...
☐ casi 2000 islas.
☐ más de 5800 islas e islotes y una porción de la Antártida.
☐ 95 islas y una porción de la Antártida.

3. Nevado Ojos del Salado, situado en Chile, es...
☐ el lago más grande de Sudamérica.
☐ el pico más alto de los Andes.
☐ el volcán más alto del mundo.

4. Chile tiene una densidad de población de...
☐ 18 hab/km².
☐ 210 hab/km².
☐ 56 hab/km².

5. Tiene una población de...
☐ más de 14 millones de habitantes.
☐ casi 56 millones de habitantes.
☐ 6 millones de habitantes.

6. El país tiene territorios en...
☐ tres continentes.
☐ dos continentes.
☐ un continente.

7. En la Isla de Pascua hay...
☐ especies animales en vías de extinción.
☐ pirámides como las aztecas.
☐ enormes esculturas de piedra.

8. Es el primer productor mundial de...
☐ plata.
☐ cobre.
☐ mercurio.

9. Obtuvo la independencia...
☐ de Francia en 1895.
☐ de España en 1818.
☐ de Portugal en 1680.

10. El 11 de marzo de 1990...
☐ hubo un golpe de estado que interrumpió la centenaria tradición democrática chilena.
☐ ganó las elecciones Salvador Allende.
☐ mediante plebiscito, los ciudadanos rechazaron la prolongación del régimen del general Augusto Pinochet y empezó la transición a la democracia.

11. Es el único país latinoamericano que cuenta con dos Premios Nobel de Literatura:
☐ Gabriela Mistral y Pablo Neruda.
☐ Pablo Neruda y Vicente Huidobro.
☐ Nicanor Parra y Antonio Skármeta.

12. Su dominio internet es...
☐ .ch
☐ .cl
☐ .ci

3 **El concurso**
Este es un fragmento del concurso donde compiten dos equipos.

Actividades

A Trata de responder individualmente a las preguntas sobre Chile. Si tienes dudas, márcalo con un interrogante (?).

B Compara tus respuestas con las de dos compañeros. Deberás exponer las tuyas con distintos grados de seguridad. Después, corrígelas si crees que estabas equivocado.

● Chile es el primer productor de plata del mundo, diría yo.
○ ¿Estás seguro?
● Bueno, del todo seguro no.
■ No, qué va. Chile produce cobre, estoy segurísimo.

C Ahora podéis comprobar vuestras respuestas en internet. ¿Qué equipo ha acertado más preguntas?

● Nosotros nos hemos equivocado en la número 1. Creíamos que Chile tenía frontera con Brasil...

D Escucha ahora las discusiones de los concursantes sobre dos de las preguntas. ¿Qué equipo obtiene más puntos en estas preguntas?

65-66

	Pregunta 3	Pregunta 8
equipo A		
equipo B		

4 **No tengo ni idea**

¿Cuál de estas preguntas sobre España sabes responder? Pregúntale a un compañero las que no sepas. Puedes usar: **¿sabes si/cuántas/qué...?**

	RESPUESTA	NO LO SABES
¿Cuántas islas tiene?		
¿Hay muchas centrales nucleares?		
¿Cuál es la montaña más alta?		
¿Madrid es la ciudad más grande?		
¿Se fabrican coches en España?		
¿Cuáles son las lenguas oficiales?		
¿A qué hora suelen cenar los españoles?		
¿A qué edad se jubilan los españoles?		
¿Qué partido gobierna?		
¿España es un país muy montañoso?		
¿España tiene petróleo?		
¿Tiene problemas de sequía?		

- ¿Sabes si en España hay muchas centrales nucleares?
- No lo sé, no tengo ni idea.

5 **No es cierto**

A. ¿Cuáles de estas afirmaciones son verdaderas y cuáles son falsas?

1. En España vive el lince ibérico, un tipo de felino único en el mundo.
2. Los jóvenes españoles viven con sus padres hasta los 30 años, de media.
3. La mayoría de españoles se casa por la Iglesia.
4. En España hay varios volcanes.
5. En las facultades de Medicina más del 70% de los estudiantes son chicas.
6. España es el segundo productor mundial de vino.
7. La mayoría de niños en España empieza la escuela a los tres años.
8. En España el salario mínimo interprofesional es de 650 €.
9. En España se produce el 40% del aceite de oliva a nivel mundial.
10. En general la comida española no es picante.
11. Los españoles son los europeos que consumen más pescado.
12. España es uno de los países del mundo con mayor índice de natalidad.

V F

B. Ahora contrasta tus hipótesis con las de tus compañeros.

- Yo no creo que en España haya volcanes.
- Sí, hombre sí, en Canarias...
- Ah, sí, es verdad, tienes razón. No me acordaba.

 C. Si no os ponéis de acuerdo o tenéis dudas, podéis buscar más información en internet o preguntarle a vuestro profesor. Reaccionad ante las nuevas informaciones.

- Yo no sabía que en España había...
- Sí, yo sí lo sabía.

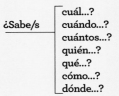

GRADOS DE SEGURIDAD

- ● ¿Cuál es la capital de Perú?
- ○ Yo **diría que** es Lima.
  Debe de ser Lima.

- ● ¿(Estás) seguro/a?
- ○ **No, no estoy del todo seguro/a.**
  Sí, segurísimo/a.

Pedir confirmación

- ● **Es** Lima, **¿verdad?** / **¿no?**
- ○ **Sí**, Lima.

ACUERDO

- ● La capital de Perú es Lima.
- ○ **Sí, sí, es verdad.**
  Sí, tienes razón.

DESACUERDO

- ● La capital de Perú es Bogotá.
- ○ **No.** Bogotá, **no.**
  No, qué va. Es Lima.
  ¿Bogotá?, **no creo.**

Insistir

- ○ **Que sí, que sí.**
  Que no, que no.

- ○ **Que no, que no..., que estás**
  equivocado/a. Te digo que es Lima.

EL IMPERFECTO PARA REACCIONAR ANTE LA NUEVA INFORMACIÓN

Para manifestar conocimiento, sorpresa o desconocimiento después de recibir una información

- ● La capital de Perú es Lima.
- ○ No lo **sabía.**
- ■ Yo sí lo **sabía** pero no **me acordaba.**
- □ Yo **creía / pensaba** que **era** Bogotá...

Yo no sabía que en el Mediterráneo había ballenas.

Yo tampoco lo sabía. Creía que solo vivían en los océanos.

CONSULTORIO GRAMATICAL
Páginas 158-161 ▶

6 **¿Cómo se dice en México?**
A. Vas a escuchar a varias personas de distintos países de habla española que comentan algunas diferencias entre sus variedades lingüísticas.

67

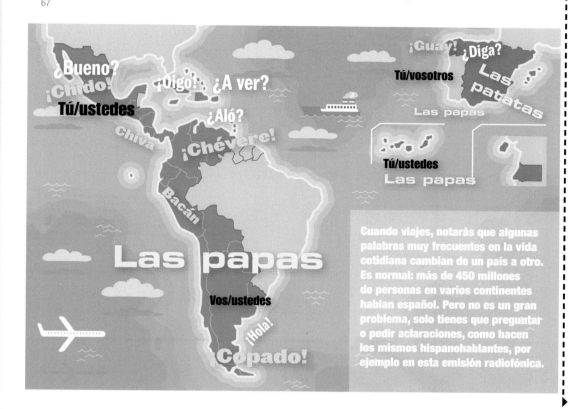

	España	Colombia	Argentina	México

B. ¿Y estas otras palabras? Investiga en internet cómo se dicen en los países de habla hispana que más te interesan.

C. ¿Sabes si hay diferentes variedades en tu lengua? ¿Puedes poner algunos ejemplos?

7 **Nuestro juego de mesa**
En parejas vamos a crear un juego para repasar y
evaluar cosas que hemos aprendido durante el curso.

A PREPARAMOS PREGUNTAS

► PENSAMOS LOS TEMAS SOBRE LOS QUE QUEREMOS HACER
PREGUNTAS Y BUSCAMOS INFORMACIÓN (EN EL PROPIO LIBRO, EN
OTROS LIBROS, EN INTERNET…).
► VAMOS A PREPARAR VARIAS PREGUNTAS. ¡CUANTAS MÁS MEJOR!
► LAS PREGUNTAS PUEDEN SER SOBRE:
  ► PROBLEMAS GRAMATICALES QUE HEMOS ESTUDIADO
  EN ESTE CURSO,
  ► VOCABULARIO QUE HA APARECIDO EN CLASE,
  ► INFORMACIÓN CULTURAL DE ESPAÑA Y DE LATINOAMÉRICA, ETC.
  ► LAS PREGUNTAS PUEDEN TENER DIFERENTES FORMATOS,
  COMO EN LOS EJEMPLOS.

● Podemos preguntar el nombre de
tres deportistas españoles.
○ Buena idea. Otra pregunta puede ser
sobre consejos de salud.
■ Sí, por ejemplo, decir cinco partes
del cuerpo, ¿no?

¿Sabes de dónde es
el escritor EDUARDO
GALEANO?
A. CUBA
B. CHILE
C. URUGUAY

¿Sabes cuáles de
estos cinco alimentos
llegaron de América?
→ Los tomates
→ Las patatas
→ El chocolate
→ El maíz
→ El arroz

¿Qué se puede hacer
un fin de semana en
Santiago de Compostela?
Intenta convencernos
1 minuto de que vale la
pena visitar la ciudad.

Cuenta tres cosas
reales o imaginarias
que hiciste ayer:

B DISEÑAMOS LAS CASILLAS

► PODÉIS USAR UNA HOJA DE PAPEL O UNA CARTULINA GRANDE
PARA CADA PREGUNTA.
► ESCRIBID CON LETRA GRANDE Y CLARA.
► PODÉIS DECORAR LA CASILLA CON ALGUNA IMAGEN RELACIONADA.
► DEJAD UN ESPACIO PARA ESCRIBIR EL NÚMERO DE LA PREGUNTA.

INTENTA
CONVENCERNOS DE LAS
VENTAJAS DE IR EN BICICLETA
Y DE NO TENER COCHE.

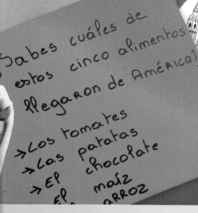

C CREAMOS EL TABLERO

► JUNTAMOS LAS CASILLAS DE TODOS LOS GRUPOS Y LAS
NUMERAMOS.
► DESPUÉS, PODEMOS UNIRLAS PARA FORMAR UN TABLERO SOBRE UNA
MESA, EN EL SUELO O COLGARLAS EN LAS PAREDES DE LA CLASE.

Piensa en las
que hacen tus vecin
no te gustan. Dan...
e pone nervioso/a
soporto que...
molesta que...

¿Cuáles son las
cualidades más
importantes que debe
tener un buen profesor?

Podemos preguntarles...

... **si**...

... **quién**...

... **cómo**...

... **dónde**...

● ¿**Preguntamos** el nombre de un plato típico?

○ **Yo no me acuerdo de** ninguno.

Yo no recuerdo ninguno.

● ¿**Alguien sabe** dónde está Bilbao?

○ **Yo no tengo ni idea.**

■ **Sí, hombre / mujer**, en el País Vasco.

8 **Jugamos**

Ahora vamos a jugar. Ten en cuenta las siguientes reglas.

- Se puede jugar en equipos (de 2 a 4 personas, depende del tamaño de la clase) o individualmente.
- Cada equipo o jugador tirará el dado y responderá a la pregunta que le toque.
- Si un equipo responde correctamente a la pregunta se quedará en la casilla, si no retrocederá hasta la casilla en la que estaba antes.
- Las preguntas se responderán entre todos los miembros del equipo.
- Gana el primero que llega al final.

EL ESPAÑOL DE

Es sabido que el español se habla en muchos países; no es extraño, pues, que tenga muchas variedades; incluso dentro de cada país existen variedades entre las diversas regiones. Y, al igual que sucede con todas las lenguas, tampoco hablan igual los miembros de generaciones o clases sociales diferentes.

Cuando alguien estudia español, se pregunta si la variedad geográfica que aprende le va a servir en todos los países, o si esa es la mejor opción que puede tomar. ¡Tranquilo! En el lenguaje culto (el de los medios de comunicación, la literatura o los textos científicos) la unidad es casi total. Se puede hablar de un español estándar que comprenden y usan todos los hispanohablantes.

En el vocabulario cotidiano coloquial es donde hay más diferencias. Podemos encontrar muchas maneras de llamar a un alimento (chile, ají, guindilla, pimiento picante...), o de decir amigo (socio, cuate, pana, güey, compadre, yunta, chero, causa, parcero...). También hay algunas diferencias en la fonética (la pronunciación de la grafía **ll**, de **s/z/c** y la entonación, entre otras) y unas pocas en la gramática (algunos usos verbales, o de los pronombres personales, por ejemplo). Pero lo importante es saber que los hispanohablantes se entienden siempre a pesar de las grandes distancias geográficas y culturales. "Las divergencias no impiden la comunicación, de modo que un chileno puede viajar a México y le van a entender perfectamente, y un boliviano puede ir a Navarra [en España] sin problemas lingüísticos", dice Alfredo Matus, director de la Academia Chilena de la Lengua.

Uno de los mitos sobre las lenguas es que en algunos lugares se habla mejor que en otros. En español hay ciudades con esa fama, como Valladolid o Bogotá. Pero no existe ninguna razón para creer que una variedad es mejor que otra. Simplemente representan identidades culturales diferentes, fruto de la historia de los pueblos.

¡Estudies donde estudies, estás estudiando un buen español!

Como un homenaje a la lengua española y a su diversidad, en el marco del VI Congreso Internacional de la Lengua Española, el periódico español *El País* pidió a 20 escritores del mundo hispanohablante, más Estados Unidos, que dieran una primera palabra para crear un Atlas sonoro de las palabras más autóctonas del español.

AQUÍ Y DE ALLÁ

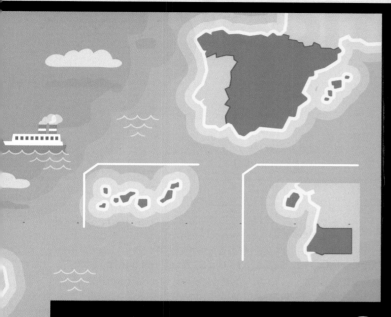

EL SALVADOR
CIPOTE
4

Horacio Castellanos Moya: palabra de uso común sinónimo de niño, joven, adulto inmaduro.

NICARAGUA
CHUNCHE
5

Sergio Ramírez: un "chunche" es una cosa y cualquier cosa; una palabra comodín que salta sin descanso, de un mueble, a un aparato, a una herramienta o a un vehículo.

COLOMBIA
VAINA
6

Laura Restrepo: comodín universal que para todo sirve. Exclamamos "¡qué vaina!" cuando se trata de un desastre, y "¡qué buena vaina!" para referirnos a un triunfo e incluso a la salvación.

VENEZUELA
BOCHINCHE
7

Rafael Cadenas: inicialmente, solo tuvo el sentido de 'fiesta escandalosa', luego significó 'desorden', 'alboroto', 'tumulto', después pasó al ámbito político.

PERÚ
HUACHAFO
8

Iván Thays: aunque se considera un sinónimo de 'cursi', su significado es más amplio: "ser huachafo" es imitar o pretender ser lo que no se es.

URUGUAY
CELESTE
9

Claudia Amengual: este adjetivo hace referencia al color de la bandera nacional. "Soy celeste" se ha convertido en una expresión de la identidad nacional uruguaya.

ARGENTINA
BOLUDO
10

Juan Gelman: se usa para referirse a una persona tonta, estúpida o idiota; pero no siempre implica insulto. Entre amigos es casi como un comodín de complicidad.

ESTADOS UNIDOS
PARQUEADERO
1

Sergio de la Pava: tiene su origen sospechoso en el *spanglish* o, mejor, el *espanglish*. Cuida, cuando estés *parqueando* (estacionando) el carro, que no te den un *ticket*.

MÉXICO
PINCHE
2

José Emilio Pacheco: "Pinche" puede servir para referirse a un empleado, al hábito de fumar, a la suerte, a un policía, a una camisa, a un perro, a una casa, a una persona, al mundo entero, a una comida, a un regalo, a un sueldo o bien a lo que a usted se le ocurra.

CUBA
ASERE
3

Wendy Guerra: la nueva generación de cubanos usa "asere" y "asere que bolá" como los saludos más populares y comunes que ya nos distinguen en el mundo.

---

9 **El español y sus variantes**

   A. ¿Crees que una lengua se habla igual en todas partes? ¿Has observado diferencias en el español que has leído o escuchado? ¿Cuáles?

   B. Lee el texto. ¿Confirma lo que tú pensabas?

10 **Palabras que nos representan**

   Elige una palabra que creas que representa a tu país. Prepara una presentación para tus compañeros de clase.

consultorio **gramatical**

ÍNDICE

PRESENTES IRREGULARES

	O/UE PODER	E/IE QUERER	E/I REPETIR	(yo) ZC TRADUCIR
(yo)	p**ue**do	qu**ie**ro	rep**i**to	tradu**zc**o
(tú)	p**ue**des	qu**ie**res	rep**i**tes	traduces
(él, ella, usted)	p**ue**de	qu**ie**re	rep**i**te	traduce
(nosotros/as)	podemos	queremos	repetimos	traducimos
(vosotros/as)	podéis	queréis	repetís	traducís
(ellos, ellas, ustedes)	p**ue**den	qu**ie**ren	rep**i**ten	traducen
	SOLER MOVER ...	ENTENDER CERRAR ...	PEDIR SEGUIR ...	DEDUCIR REDUCIR ...

Otros verbos irregulares

DECIR	OÍR	HACER	SABER
d**ig**o	o**ig**o	ha**g**o	**sé**
d**i**ces	o**y**es	haces	sabes
d**i**ce	o**y**e	hace	sabe
decimos	oímos	hacemos	sabemos
decís	oís	hacéis	sabéis
d**i**cen	o**y**en	hacen	saben

USOS DEL GERUNDIO

El gerundio responde muchas veces a la pregunta **¿cómo?** y puede tener varios matices.

- Viajó a Lisboa **pasando** por Madrid.   *una manera o modo*
- Cenan siempre **viendo** la tele.   *una acción simultánea*
- Aprenderás mejor **hablando** mucho.   *una condición*

Con la construcción **llevar** + *gerundio*, se expresa duración.

- **Lleva** dos años **estudiando** español.

Con **estar** + *gerundio*, se expresa una acción en proceso.

- Los niños **están cantando**.

Yo aprendo idiomas yendo a clase.

Pues yo sin ir. Solo hablando y viajando...

Para expresar los dos primeros usos, pero en sentido negativo, usamos la construcción **sin** + *infinitivo*.
- Aprendí ruso casi **sin estudiar.**
- Habla **sin mirarte** a los ojos.
- Llevo un año **sin estudiar** español.

VALORAR ACTIVIDADES Y DIFICULTADES

> Este consultorio me parece muy bueno.

> Sí, lo que más me gusta son los dibujitos.

- **Estudiar** gramática **me parece** pesad**o**. *infinitivo*

- **El trabajo** en grupo **me parece** divertid**o**. *sustantivo singular*

- **Estos** vídeos **me parecen** muy buen**os**. *sustantivo plural*

- Me cuesta

  infinitivo
  hacer ejercicios de gramática.
  pronunciar la erre.
  aprender vocabulario.
  leer en español.

  sustantivo
  la pronunciación de la erre.

- **Me cuestan** los ejercicios de gramática.

EXPRESIONES ÚTILES EN EL AULA

- Perdona/e,
- Por favor,

  ¿en qué página está eso?
  ¿en qué ejercicio?
  ¿en qué párrafo / columna / línea?
  ¿qué significa esta palabra / expresión?
  ¿es correcto decir "soy soltero"**?**
  ¿cómo has dicho: Valencia **o** Palencia**?**
  ¿Vigo se escribe con uve **de** Venecia**?**
  ¿vago y perezoso **significan lo mismo?**
  ¿cuándo se usa el gerundio**?**

  ¿puede/s
  repetir eso que has dicho**? No lo he entendido bien.**
  hablar más despacio?
  escribirlo en la pizarra?
  traducir eso?

- **Eso** que ha dicho Walter **me parece muy importante.**

EXPRESAR CAUSA Y FINALIDAD

Usamos **por** y **porque** para expresar causa y motivación.

- No estudio español **por** una necesidad concreta, sino **por** placer.
- Estudio español **porque** lo necesito en mi trabajo.

Con **para** expresamos objetivo y finalidad.

- Quiero aprender más **para** mejorar mi nivel de español.

EL CONDICIONAL

Verbos regulares

CHARLAR	charlar-	
CENAR	cenar-	**-ía**
BESAR	besar-	**-ías**
CONOCER	conocer-	**-ía**
ENTENDER	entender- +	**-íamos**
PERDER	perder-	**-íais**
IR	ir-	**-ían**
VIVIR	vivir-	

Verbos irregulares

PODER	**podr-**	
SABER	**sabr-**	
HACER	**har-**	**-ía**
HABER	**habr-**	**-ías**
QUERER	**querr-** +	**-ía**
PONER	**pondr-**	**-íamos**
TENER	**tendr-**	**-íais**
SALIR	**saldr-**	**-ían**
VENIR	**vendr-**	

Usamos el condicional para hablar de acciones y de situaciones hipotéticas.

- Creo que **me llevaría** bien con tu hermana; parece muy simpática.

También usamos el condicional para expresar deseos, generalmente con los verbos **gustar** y **encantar**.

- **Me gustaría** vivir en una casa un poco más grande; esta es muy pequeña.
- **Nos encantaría** pasar el verano en la Costa Brava.
- A Eva **le gustaría** mucho salir con John este fin de semana.

Y para manifestar deseos espontáneos difíciles de realizar o bien que se plantean para proponer algo.

- ¡Qué hambre! **Me comería** una vaca.
- **Me iría** a Canarias ahora mismo. ¡Tengo tantas ganas de ir a la playa!
- **Me tomaría** un helado; estoy muerto de calor.

FRASES INTERROGATIVAS

Dónde, cómo, por qué, quién/es, qué...

- ¿**Dónde** pasas las vacaciones de Navidad?
- ¿**Cómo** vas a trabajar, en coche o en autobús?
- ¿**Por qué** vienes tan tarde?
- ¿**Quién** es la chica que lleva pantalones vaqueros?
- En esta fotografía, ¿**quiénes** son tus padres?
- ¿**Qué** haces mañana? / ¿**Qué** prefieres, un té o un café?   + *verbo*
- ¿**Qué** coche es mejor? / ¿**Qué** tipo de música te gusta?   + *sustantivo*

Cuando queremos identificar una cosa o a una persona dentro de un grupo, previamente definido, de elementos de la misma categoría, usamos **cuál/cuáles**.

- ¿Me dejas **un libro** para leer esta noche?
- Sí, mira, estos dos están muy bien... ¿**Cuál** prefieres?

En preguntas con preposición, esta se sitúa antes de la partícula interrogativa.

- ¿A **qué** te refieres?
- ¿Con **quién** estás hablando?
- ¿De **qué** estáis hablando?
- ¿De **cuál** estás hablando?
- ¿En **quién** confías más?
- ¿A **cuál** te refieres?

- ¿Contra **quién** juega el Madrid?
- ¿Con **cuál** te quedas?
- ¿Desde **cuándo** vives en Granada?
- ¿Hacia **dónde** se dirigía el avión?

FRASES INTERROGATIVAS INDIRECTAS

- Me gustaría **saber**
- Me parece interesante **saber**
- Podemos **preguntar**le

si ⎰ vive solo/a.
    ⎱ le gusta bailar.   *respuesta sí/no*

dónde vive.
cómo se llama su mujer/marido.   *respuesta abierta*
qué trabajo tiene.

DESCRIBIR Y VALORAR LA PERSONALIDAD

- Jorge **es una persona**
- Silvia **es una persona**

un poco insegur**a**   *hombre / mujer*

LO: RESALTAR UN ASPECTO

- **Lo mejor** / **peor**
- **Lo más** importante/interesante...
- **Lo que más** me gusta / interesa / molesta...

es el horario de clase / escribir.
son los vecinos.

EXPRESAR SENTIMIENTOS, GUSTOS Y SENSACIONES

(A mí) **me** (A ti) **te** (A él, ella, usted) **le** (A nosotros/as) **nos** (A vosotros/as) **os** (A ellos, ellas, ustedes) **les**	gusta encanta divierte molesta preocupa emociona da risa / miedo interesa pone nervioso/a / triste hace gracia	**salir** de noche solo. **ir** al médico. **trabajar** mucho.	*infinitivo*
		este programa. **esta** noticia.	*sustantivo singular*
	gusta**n** encanta**n** divierte**n** molesta**n** preocupa**n** interesa**n** emociona**n** da**n** risa / miedo pone**n** nervioso/a / triste hace**n** gracia	**estos** programas. **estas** noticias.	*sustantivo plural*
Yo	ador**o** odi**o** detest**o** no soport**o** no aguant**o**	**salir** de noche solo. **ir** al médico. **trabajar** mucho.	*infinitivo*
		este programa. **estos** programas.	*sustantivos*

Para graduar estas expresiones usamos diferentes adverbios.

me			**muchísimo**
te	gusta/n		**mucho**
le	interesa/n		**bastante**
…	…		

	me			**demasiado**
no	te	gusta/n		**mucho**
	le	interesa/n		**nada**
	…	…		**nada de nada**

me		**mucho** miedo	**mucha** pena
te	da/n	**bastante** miedo	**bastante** pena
le	…	**un poco de** miedo	**un poco de** pena
…			

	me		**demasiado** miedo	**demasiada** pena
no	te	da/n	**mucho** miedo	**mucha** pena
	le	…	**nada de** miedo	**nada de** pena
	…			

me		**mucha** gracia
te	hace/n	**bastante** gracia
le	…	
…		

	me		**mucha** gracia
no	te	hace/n	**ninguna** gracia
	le	…	
	…		

me		**muy** nervioso/a, triste…
te	pone/n	**bastante** nervioso/a, triste…
le	…	**un poco** nervioso/a, triste…

	me		**muy** nervioso/a
no	te	pone/n	**demasiado** nervioso/a
	le	…	**nada** nervioso/a
	…		

> A mí salir solo de noche me da mucho miedo.
>
> Pues a mí no me da nada de miedo.

Hay algunos verbos que por sí solos ya expresan grado máximo o mínimo y, por esa razón, no se usan con cuantificadores ni admiten gradación.

- Me encantan ~~mucho~~. 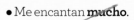 → Me encantan.
- Esta canción me encanta ~~poco~~.  → Esta canción **no** me gusta **mucho**.
- Detesto ~~mucho~~ madrugar.  → Detesto madrugar.

EL ORDEN DE LA FRASE

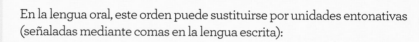

Cuando hacemos referencia por primera vez a un tema (**los viernes por la noche**, **viajar en avión** o **Carmelo**) el orden habitual de la frase es:

- Me encantan **los viernes por la noche**.
  (**Son** los viernes por la noche **y no** los lunes por la mañana.)

- Me pone nervioso **viajar en avión**.
  (**Es** viajar en avión **y no** hablar en público, **ni** hacer exámenes...)

- Me cae muy bien **Carmelo**.
  (**Y no** Estela, **ni** Luis, **ni** tu sobrino...)

Pero cuando el tema del que ya se está hablando es precisamente **los viernes por la noche**, **viajar en avión** o **Carmelo** el orden es:

- **Los viernes por la noche** me encantan.

- **Viajar en avión** me pone nervioso.

- **Carmelo** me cae muy bien.

En la lengua oral, este orden puede sustituirse por unidades entonativas (señaladas mediante comas en la lengua escrita):

- Me encantan, **los viernes por la noche**.

SUSTANTIVOS DERIVADOS DE ADJETIVOS

En español hay un grupo de sustantivos que son derivados de adjetivos. Se usan para hablar del concepto general y abstracto al que se refiere el adjetivo.

- Me gustan las personas **buenas**.

- Me gusta **la bondad**.

Son femeninos todos los que acaban en:

-DAD:	sensible ➜ la sensibilidad	bueno/a ➜ la bondad	honesto/a ➜ la honestidad
-ÍA:	cobarde ➜ la cobardía	valiente ➜ la valentía	miope ➜ la miopía
-EZ:	maduro ➜ la madurez	válido ➜ la validez	pesado ➜ la pesadez
-EZA:	puro/a ➜ la pureza	bello/a ➜ la belleza	triste ➜ la tristeza
-CIA:	coherente ➜ la coherencia	astuto/a ➜ la astucia	inteligente ➜ la inteligencia
-URA:	hermoso ➜ la hermosura	dulce ➜ la dulzura	amargo ➜ la amargura

Son masculinos todos los que acaban en:

-ISMO:	egoísta ➜ el egoísmo	idealista ➜ el idealismo	nervioso/a ➜ el nerviosismo

GENTE QUE LO PASA BIEN

VALORAR Y DESCRIBIR UN ESPECTÁCULO O UN PRODUCTO CULTURAL

- ¿Has visto esa película?
- ¿Has leído ese libro?
- ¿Has escuchado este disco?

○ Sí, **está muy bien.**	○ Sí, **no está demasiado bien.**
○ Sí, **me encantó.** **me gustó muchísimo.**	○ Sí, **no me gustó nada.** **me pareció algo aburrido/a.**
○ Sí, **es genial.** **fantástico/a.** **extraordinario/a.**	○ Sí, **es horrible.** **horroroso/a.**
○ Sí, **es buenísimo/a.** **divertidísimo/a.**	○ Sí, **es malísimo/a.** **aburridísimo/a.**
○ Sí, **es una maravilla.** **un rollo.**	○ Sí, **es un desastre.**
○ Sí, **es muy bueno/a.**	○ Sí, **es muy malo/a.**
○ Sí, es ~~muy bien.~~	○ Sí, es ~~muy mal.~~

- **Es un tipo de** | cine / teatro / música / televisión / ... | **que** | **me encanta.** / **no me interesa.** / **no me dice nada.**

- **Me interesa**
- **No soporto**
- **No me dice nada** | **ese tipo de** | películas. / teatro. / novelas. / series. / ...

Para valorar espectáculos, libros, etc., que vimos o leímos en el pasado usamos generalmente los verbos **gustar**, **encantar** y otros similares en pretérito indefinido.

- ¿Qué tal la "peli" de anoche?
  ○ No **me gustó** nada.

- ¿Acabaste aquella novela?
  ○ Sí, pero **me pareció** algo aburrida.

SUPERLATIVOS EN -ÍSIMO/A

El superlativo expresa el grado máximo de un adjetivo.

adjetivo sin la vocal final + **ísimo/a/os/as**

bueno ⟶ buen**ísimo/a/os/as**

interesante ⟶ interesant**ísimo/a/os/as**

~~muy~~ **buenísimo**

GÉNEROS DE CINE, TELE...

- **Es una comedia** / **un drama** / **un** *thriller* / **una película policíaca.**
- **Es una película de acción** / **de terror** / **de aventuras** / **de ciencia ficción** / **del oeste.**
- **Es un programa informativo** / **infantil** / **de entrevistas** / **de debate** / **de crítica política.**
- **Es una serie cómica** / **dramática** / **de humor.**

- **El director es** Almodóvar. = **Es una película de** Almodóvar.
- **La directora es** Icíar Bollaín. = **Es una película de** Icíar Bollaín.

- **El protagonista es** Gael García Bernal.
- **La protagonista es** Penélope Cruz.
- **Sale** Jennifer López.

- **Trata de** una chica que se enamora de... = **Va de** una chica que se enamora de...

PONERSE DE ACUERDO PARA HACER ALGO

Preguntar a los demás

- **¿Adónde podemos ir?**
- **¿Adónde te/le/os/les gustaría ir?**
- **¿Qué te/le/os/les apetece hacer?**

Proponer

- **¿Por qué no** vamos al cine?
- **¿Y si** vamos a cenar por ahí?
- **¿Te/os/le/les apetece** ir a tomar algo?
- **Podríamos** ir al cine.

- **Me apetece** dar un paseo.
- **Me gustaría** dar una vuelta.

Aceptar

- **Vale, de acuerdo.**
- **Buena idea. Me apetece mucho.**
- **Perfecto.**
- **Muy bien.**

Excusarse

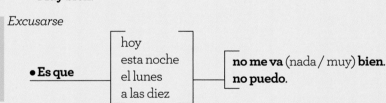

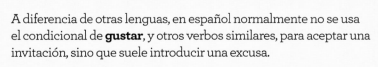

- **Es que** | hoy / esta noche / el lunes / a las diez | **no me va** (nada / muy) **bien.** / **no puedo.**

> ¿Por qué no vamos al cine el sábado?

> Este sábado no puedo. Tengo mucho trabajo.

A diferencia de otras lenguas, en español normalmente no se usa el condicional de **gustar**, y otros verbos similares, para aceptar una invitación, sino que suele introducir una excusa.

- **Me gustaría**, pero... no puedo.
- **Me encantaría**, pero... es que estoy muy liado.

Concertar una cita

- ●**¿Cómo quedamos?**
- ●**¿A qué hora**
- ●**¿Dónde** ──── **quedamos?** / **nos vemos?**
- ●**¿Quedamos** en mi hotel?
- ●**¿Te/os/le/les viene bien** ──── delante del cine? / el sábado a las seis?
- ●**¿Qué tal** ──── el martes? / a las diez?

Venir bien / mal

| (A mí) (A ti) (A él, ella, usted) (A nosotros/as) (A vosotros/as) (A ellos, ellas, ustedes) | ●El lunes | **me te le nos os les** | **viene** | **muy bien.** **bien.** **mal.** **muy mal.** **fatal.** |

Proponer otro lugar u otro momento

- ●**(Me vendría) mejor** ──── un poco más tarde.
- ●**Preferiría** ──── por la tarde.

Hablar de una cita

- ●**He quedado con** María **a** las 3 h **en** su hotel **para** ir al Prado.

APETECE/N

Apetecer se construye con la serie de pronombres **me/te/le/nos/os/les** y funciona como **gustar**.

- ●**Me apetece** ir a cenar fuera.   *infinitivo*
- ●**¿Te apetece** un café?   *sustantivo singular*
- ●**¿Le apetecen** unos dulces?   *sustantivo plural*

Otros verbos del mismo tipo que **gustar** y **apetecer** son:

entusiasmar	●A mí **me entusiasma** la danza contemporánea.
encantar	●A Pedro **le encanta** correr.
apasionar	●A mis padres **les apasiona** la ópera italiana.
fascinar	●No comprendo por qué **te fascina** tanto ese actor.

¿Les apetece tomar algo?

A mí no, gracias.

A mí tampoco.

ACONTECIMIENTOS: LUGAR Y TIEMPO

Para situar acontecimientos sociales (fiestas, espectáculos, reuniones, etc.) en el espacio y en el tiempo se usa el verbo **ser**.

- ●El concierto **es** en el Teatro Real.
- ●El partido **es** a las 8 h.

QUEDAR/SE

quedarse (= no moverse de un lugar).

- **Me quedo** en casa.
- **Quédate** un rato más.

quedar (= citarse).

- **¿Quedamos** a las 6h?
- **He quedado** con María para ir al cine.

queda(n) (= todavía hay).

- En la nevera **quedan** tres cervezas.
- **¿Queda** algo de pan?

me/te/le/nos/os/les... queda(n) (= todavía tengo/tienes/tiene...).

- Todavía **me quedan** diez días de vacaciones.
- **¿Te queda** algo de dinero?

FRECUENCIA Y HABITUALIDAD

- **(Todos) los** lunes / martes /...
- **Muchas veces**
- **A menudo**
- **A veces**

voy a nadar / salgo con Lucía /...

- **Normalmente, los** lunes / martes/...
- **Generalmente, por la mañana / tarde /...**

SITUAR A LO LARGO DEL DÍA

por
- **la mañana**
- **la tarde**
- **la noche**

durante
- **la mañana**
- **la tarde**
- **la noche**

a mediodía

a la hora
- **de la comida**
- **del desayuno**
- **de la merienda**
- **de la cena**

antes de
después de
- comer
- cenar
- irse a la cama

EL PRETÉRITO INDEFINIDO

Verbos regulares

	-AR	-ER	-IR
	TERMIN**AR**	CONOC**ER**	VIV**IR**
(yo)	termin**é**	conoc**í**	viv**í**
(tú)	termin**aste**	conoc**iste**	viv**iste**
(él, ella, usted)	termin**ó**	conoc**ió**	viv**ió**
(nosotros/as)	termin**amos**	conoc**imos**	viv**imos**
(vosotros/as)	termin**asteis**	conoc**isteis**	viv**isteis**
(ellos, ellas, ustedes)	termin**aron**	conoc**ieron**	viv**ieron**

Verbos irregulares

Unos pocos verbos sufren cambios ortográficos.

i/y En las terceras personas de los verbos terminados en **-uir**, **-eer**.

CONSTR**UIR**	constru**y**ó, constru**y**eron	L**EER**	le**y**ó, le**y**eron

z/c En la primera persona del singular de verbos como **cazar** o **rezar**.

CA**Z**AR	ca**c**é	RE**Z**AR	re**c**é

c/qu En la primera persona del singular de verbos como **secar** o **tocar**.

SE**C**AR	se**qu**é	TO**C**AR	to**qu**é

Los verbos terminados en **-ir** que tienen una **e** o una **o** como última vocal de la raíz tienen un cambio vocálico en las terceras personas.

E/I	**O/U**
PREF**E**RIR	D**O**RMIR
pref**e**rí	d**o**rmí
pref**e**riste	d**o**rmiste
pref**i**rió	d**u**rmió
pref**e**rimos	d**o**rmimos
pref**e**risteis	d**o**rmisteis
pref**i**rieron	d**u**rmieron

Algunos ejemplos son **elegir**, **invertir**, **morir**, **pedir**, **reír**, **repetir**, **seguir**, **sentir**…

Hay un grupo de verbos con raíces irregulares.

ANDAR	anduv	
CONDUCIR	conduj*	
DECIR	dij*	
ESTAR	estuv	-e
HACER	hic (hiz)	-iste
PODER	pud	-o
QUERER	quis	-imos
SABER	sup	-isteis
TENER	tuv	-ieron
TRAER	traj*	
VENIR	vin	

En este grupo de irregulares la sílaba tónica cambia: en la primera persona singular (**yo**) y en la tercera singular (**él**, **ella**, **usted**) el acento no recae en la terminación, sino en la raíz.

~~tuvé, tuvó~~	**tu**ve, **tu**vo
~~viné, vinó~~	**vi**ne, **vi**no

(*) Cuando la raíz de un verbo irregular acaba en **j**, como **traer**, **decir** y casi todos los verbos acabados en **-cir**, la tercera persona del plural se forma con **-eron** y no con **-ieron**.

~~dij**i**eron~~	dij**eron**	~~produj**i**eron~~	produj**eron**
~~conduj**i**eron~~	conduj**eron**	~~traduj**i**eron~~	traduj**eron**
~~traj**i**eron~~	traj**eron**	~~reduj**i**eron~~	reduj**eron**

Tres verbos de uso muy frecuentes con formas irregulares especiales son **ser**, **ir** y **dar**.

	SER / IR*	DAR
(yo)	**fui**	**di**
(tú)	**fuiste**	**diste**
(él, ella, usted)	**fue**	**dio**
(nosotros/as)	**fuimos**	**dimos**
(vosotros/as)	**fuisteis**	**disteis**
(ellos, ellas, ustedes)	**fueron**	**dieron**

(*) **Ser** e **ir** coinciden en la forma.

● Eva y sus amigas **fueron** de vacaciones a Menorca. **Fueron** unas vacaciones muy especiales para todas ellas.

CONTRASTE PERFECTO / INDEFINIDO

Al hablar del pasado, podemos referirnos a dos momentos: *el momento en el que se habla* y *el momento del que se habla*.

En el pretérito perfecto los dos momentos se incluyen en una misma fracción del tiempo: **hoy, esta semana, este mes, este año, mi vida aquí, mi vida, la historia de la humanidad...**

En el pretérito indefinido los dos momentos se sitúan en fracciones de tiempo separadas: **ayer, la semana pasada, el mes pasado, mi vida antes de venir aquí...**

Son los hablantes los que establecen la división del tiempo en fracciones. Por eso, un mismo hecho puede presentarse en perfecto o en indefinido.

● **En este curso he sacado** un sobresaliente y dos notables.
El sobresaliente lo **saqué** en el examen de **diciembre**.
Uno de los notables lo **saqué en marzo**.
Y el otro notable lo **he sacado** en **este** último examen.

Además, esta división suele ir señalada con adverbios u otras expresiones: **hoy, ayer, este mes, el mes pasado**, etc.

● **El año pasado estuve** en Sevilla de vacaciones.
● Rosa **ha estado** de vacaciones **este verano** en Sevilla. Le **ha encantado**.

Aunque en muchas ocasiones el hablante no dice de manera explícita a qué momento del tiempo se refiere (lo da por supuesto).

● **Estuve** dos trimestres en la Universidad de Sevilla.
(= La experiencia pertenece a un pasado ya concluido.)

● **He estudiado** dos trimestres en Sevilla.
(= La experiencia pertenece a un pasado que forma parte del presente.)

EL PRETÉRITO IMPERFECTO

Verbos regulares

	-AR HABL**AR**	**-ER** TEN**ER**	**-IR** VIV**IR**
(yo)	habl**aba**	ten**ía**	viv**ía**
(tú)	habl**abas**	ten**ías**	viv**ías**
(él, ella, usted)	habl**aba**	ten**ía**	viv**ía**
(nosotros/as)	habl**ábamos**	ten**íamos**	viv**íamos**
(vosotros/as)	habl**abais**	ten**íais**	viv**íais**
(ellos, ellas, ustedes)	habl**aban**	ten**ían**	viv**ían**

Verbos irregulares

	SER	**IR**	**VER**
(yo)	**era**	**iba**	**veía**
(tú)	**eras**	**ibas**	**veías**
(él, ella, usted)	**era**	**iba**	**veía**
(nosotros/as)	**éramos**	**íbamos**	**veíamos**
(vosotros/as)	**erais**	**ibais**	**veíais**
(ellos, ellas, ustedes)	**eran**	**iban**	**veían**

USOS DEL PRETÉRITO IMPERFECTO

Describir el contexto en el que sucede el hecho que relatamos: la hora, la fecha, el tiempo, el lugar, las personas que hablan o de las que se habla, la existencia de cosas en torno al hecho que relatamos, etc.

- **Eran** las siete de la tarde cuando la chica llegó a su hotel.
- Cuando ella entró en el hotel, en la recepción no **había** mucha gente.

Expresar contraste entre el estado actual y estados anteriores.

- Antes **viajaba** mucho.
  (= ahora no tanto.)
- Mi vecino antes **estaba** muy gordo.
  (= ahora está menos gordo.)

Describir hábitos y costumbres del pasado.

- De pequeños, **íbamos** todos los domingos de excursión.
- Cuando vivía en Málaga, **iba** mucho a la playa.

Contar la información u opinión que se tenía antes de recibir una información que la confirma, desmiente o contradice. A veces, expresa satisfacción, sorpresa o sirve para razonar una disculpa.

- Yo **sabía** que esto **iba** a pasar.
- Yo **creía** que Ana **estaba** casada.
- Yo no **sabía** que la reunión **era** a las cuatro.
- ¿Ah, sí? ¿Eli se ha casado? No **tenía** ni idea.

CONTAR HISTORIAS: CONTRASTE INDEFINIDO / IMPERFECTO

Una historia es una sucesión de hechos, que relatamos usando el indefinido o el perfecto. Con cada hecho del que informamos, la historia progresa.

> **Se acostó** pronto. **Tardó** mucho en dormirse. A las 7.15 h **sonó** el despertador. No lo **oyó**. A las 7.45 h lo **llamaron** por teléfono; esta vez sí que lo **oyó**. **Respondió**. Se **levantó** enseguida y...

En cada hecho podemos detenernos para explicar cosas que lo rodean. Lo hacemos usando el imperfecto o el pluscuamperfecto. Entonces, la historia no progresa, sino que su núcleo se expande.

> Aquel día **había trabajado** mucho y **estaba** muy cansado; por eso se acostó pronto. Pero tardó mucho en dormirse: **tenía** muchos problemas y no **podía** dejar de pensar en ellos. A las 7.15 h sonó el despertador...

El pretérito indefinido presenta la información como un acontecimiento.

> ● Ayer Ana **fue** a una tienda y **se compró** una falda. Luego **volvió** a casa en taxi.

El pretérito imperfecto presenta la información como una circunstancia que envuelve otro acontecimiento.

> ● Ayer Ana fue de compras y se compró unos zapatos. **Hacía** tiempo que no **se compraba** unos zapatos.

> ● Ayer fui con Ana de compras. Mientras **se compraba** unos zapatos, yo aproveché para darme una vuelta por la sección de discos.

> ● Cuando **volvía** a casa en taxi, se dio cuenta de que había olvidado el bolso.

Pepa y yo estudiamos de 9 de la mañana a 10 de la noche y no sirvió de nada: suspendimos las dos.

Pues yo estudié muy poco y saqué un 10.

EVOCAR CIRCUNSTANCIAS

Las circunstancias de un hecho pueden ser de muy diverso orden:

> ● **Estaba** cansado y se acostó pronto.
> (*causa – efecto*)

> ● Se levantó tarde; por la ventana **entraba** ya la luz del día.
> (*condiciones del contexto espacial*)

> ● Salió a la calle. **Eran** las nueve de la noche.
> (*contexto temporal*)

Y una misma circunstancia puede expresarse de formas distintas, en cuanto al orden de las frases y en cuanto a las partículas de unión:

> ● **Se acostó** pronto. **Estaba** cansado.
> ● **Se acostó** pronto porque **estaba** cansado.
> ● **Estaba** cansado y **se acostó** pronto.

GENTE DE NOVELA

PERFECTO / INDEFINIDO DE ESTAR + GERUNDIO

Usamos estas formas para referirnos a una actividad que ya ha finalizado, pero haciendo énfasis en la acción en desarrollo. Esta actividad se presenta como información principal, no como circunstancia de otro acontecimiento.

- Hoy **he estado trabajando** hasta muy tarde.
- Ayer **estuvimos visitando** el museo de cera.
- **Estuve leyendo** una novela.

Estas construcciones suelen llevar (o puede sobreentenderse) un complemento que indica una determinada duración, pero no uno que indique un momento puntual.

- Ayer **por la tarde estuvimos visitando** el museo de cera.
- Ayer, **de cinco a siete, estuvimos visitando** el museo de cera.

  Ayer **a las cinco** ~~estuvimos~~ visitando el museo de cera.

EL PRETÉRITO PLUSCUAMPERFECTO

		-AR	-ER	-IR
		TRABAJ**AR**	COM**ER**	SAL**IR**
(yo)	**había**			
(tú)	**habías**			
(él, ella, usted)	**había**			
(nosotros/as)	**habíamos**	trabaj**ado**	com**ido**	sal**ido**
(vosotros/as)	**habíais**			
(ellos, ellas, ustedes)	**habían**			

El pluscuamperfecto sirve para hacer referencia a circunstancias y a acciones pasadas, anteriores a otro hecho pasado.

Se despertó fatal...

> *circunstancias anteriores*
> **Había dormido** muy mal.
> Una tormenta no la **había dejado** dormir.

... se levantó y se fue a la ducha.

> *circunstancias simultáneas*
> No se **sentía** nada bien.
> **Tenía** mucho dolor de cabeza.

IMPERFECTO DE ESTAR + GERUNDIO

Usamos esta estructura cuando queremos hacer referencia a una acción en desarrollo que sirve de marco a la información principal.

- **Estaba trabajando** cuando escuché la noticia en la radio.

- Yo, señor comisario, **estaba paseando** por el parque cuando vi a Max Abra.
  ○ ¿Y había alguien más en el parque?
- Sí, varios niños, que **estaban jugando** con una pelota.

SITUAR UN RELATO EN EL TIEMPO

Hablar de un momento ya mencionado

en aquel momento   **en aquella** época   **a aquella** hora

aquel día   **aquella** semana

> ● **Aquel** día salí muy pronto de mi casa para ir a trabajar.

Hablar de un momento anterior

un rato / tres horas / unos días /... **antes**

el día / el mes / el año / la noche/... **anterior**

> ● Unos días **antes** le llamaron para entrevistarle. La noche **anterior** no pudo dormir.

Hablar de un momento posterior

al cabo de un rato / una hora / varios días/...
un rato / una hora / varios días... **más tarde / después**
el día / el mes / el año / la noche /... **siguiente**

> ● **Al cabo de** un rato, los ladrones salieron corriendo. **Más tarde** les detuvo la policía.

Hablar de la duración

de ... a	● **De** nueve **a** doce estuvimos estudiando en casa de Andrés.
desde ... hasta	● **Desde** las siete **hasta** las once estuve viendo la tele.
toda la { noche, tarde, semana }	● Hemos estado despiertos **toda la noche**.
todo el { día, año, verano }	● Hemos estado **todo el año** esperando un aumento de sueldo.
durante	● El verano pasado estuve viviendo en España **durante** tres meses.

Muchas veces no se usa ninguna partícula para expresar duración.

● Estuve viviendo en Cuba dos meses.

● Estuve viviendo en Cuba ~~para~~ dos meses.

ESTADO FÍSICO Y SALUD

Preguntar

¿Cuál es su/tu grupo sanguíneo?
¿Ha/s tenido alguna enfermedad grave?
¿Lo/la/te han operado alguna vez?
¿De qué lo/la/te han operado?
¿Toma/s algún medicamento?

¿Es/eres alérgico a algo?
¿Cuánto mide/s?
¿Cuánto pesa/s?
¿Cómo se/te encuentra/s?
¿Qué le/te pasa?

Describir estados

Estoy/estás/está...
cansado/a.
enfermo/a.
mareado/a.
resfriado/a.
...

Me/te/le... duele
la cabeza.
el estómago.
una muela
aquí.
...

Me/te/le... duelen
los ojos.
los pies.
...

Tengo/tienes/tiene...
un resfriado.
una indigestión.
la gripe.
diarrea / paperas / anginas/...

Tengo/tienes/tiene... dolor de
muelas.
cabeza.
barriga.

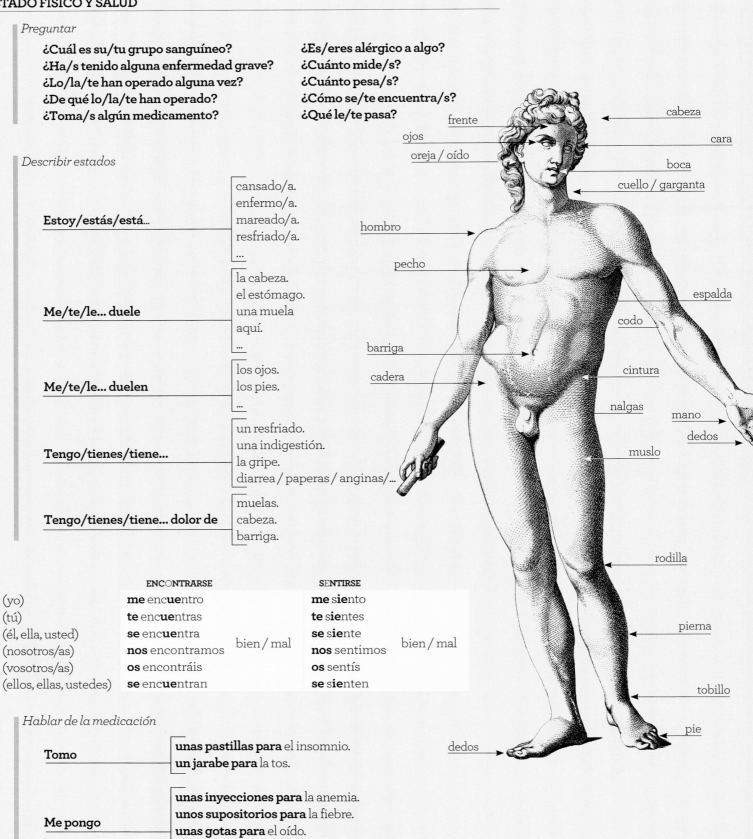

cabeza
frente
ojos
oreja / oído
cara
boca
cuello / garganta
hombro
pecho
espalda
codo
barriga
cintura
cadera
nalgas
mano
dedos
muslo
rodilla
pierna
tobillo
pie
dedos

	ENCONTRARSE		SENTIRSE	
(yo)	**me** enc**ue**ntro		**me** s**ie**nto	
(tú)	**te** enc**ue**ntras		**te** s**ie**ntes	
(él, ella, usted)	**se** enc**ue**ntra	bien / mal	**se** s**ie**nte	bien / mal
(nosotros/as)	**nos** encontramos		**nos** sentimos	
(vosotros/as)	**os** encontráis		**os** sentís	
(ellos, ellas, ustedes)	**se** enc**ue**ntran		**se** s**ie**nten	

Hablar de la medicación

Tomo
unas pastillas para el insomnio.
un jarabe para la tos.

Me pongo
unas inyecciones para la anemia.
unos supositorios para la fiebre.
unas gotas para el oído.
una pomada para el acné.

ARTÍCULOS

Para referirnos a las partes del cuerpo o a objetos personales, generalmente no usamos los posesivos sino los artículos, muchas veces acompañados de pronombres personales.

- Se ha roto **la** mano.
- ¿Te duele **el** oído?
- Se ha dejado **el** bolso.
- Me he puesto **el** reloj nuevo.

- Ha roto ~~**su** mano.~~
- ¿Te duele ~~**tu** oído?~~
- Ha dejado ~~**su** bolso.~~
- He puesto ~~**mi** reloj nuevo.~~

TÚ **IMPERSONAL**

La segunda persona puede tener en español un sentido impersonal. Puede ser también una forma de hablar indirectamente de uno mismo, sin decir "yo".

- Si **comes** demasiado, **engordas**. (= Cualquier persona, todo el mundo.)
- **Trabajas** como un animal todo el día y nadie **te** lo agradece. (= Me pasa a mí.)

RECOMENDACIONES

Impersonales

Deberías dejar de fumar. Y yo que tú, iría al médico. No tienes buena cara.

- **Cuando se** tiene la tensión alta, no
- **Si se** tiene la tensión alta, no

| se debe |
| hay que |
| conviene | **tomar** sal. |
| es conveniente |
| es aconsejable |

Personales

- **Si** tienes la tensión alta, **no tomes** sal.

- **Yo que tú, tomaría** menos sal.
- **Yo en tu lugar, iría** al médico.

- **Deberías tomar** menos sal.
- Yo creo que **te vendría bien** comer más verdura.

PODER **EN RECOMENDACIONES Y ADVERTENCIAS**

	PODER	
(yo)	p**ue**do	
(tú)	p**ue**des	
(él, ella, usted)	p**ue**de	
(nosotros/as)	podemos	*+ infinitivo*
(vosotros/as)	podéis	
(ellos, ellas, ustedes)	p**ue**den	

- Ponte una chaqueta. **Puedes resfriarte.**
- **Podéis tomar** unas hierbas. Os sentarán bien.
- Algunos deportes **pueden ser** peligrosos para el corazón.

EL IMPERATIVO

Formas regulares

	TOMAR		BEBER		VIVIR	
(tú)	toma	no tomes	bebe	no bebas	vive	no vivas
(usted)	tome	no tome	beba	no beba	viva	no viva

Los imperativos afirmativos de **usted** y las formas negativas, tanto de **tú** como de **usted**, son siempre como las formas correspondientes del presente de subjuntivo.

Para pedir que otros no realicen acciones, el imperativo puede resultar agresivo y solo se usa en situaciones muy informales o suavizado por otras expresiones.

> Por favor, perdone, **no se siente** ahí. Esa silla está rota.
> Carlitos, **no comas** tan deprisa...

Formas irregulares

HACER	(tú)	haz	no hagas
	(usted)	haga	no haga

PONER	(tú)	pon	no pongas
	(usted)	ponga	no ponga

SER	(tú)	sé	no seas
	(usted)	sea	no sea

IR	(tú)	ve	no vayas
	(usted)	vaya	no vaya

VENIR	(tú)	ven	no vengas
	(usted)	venga	no venga

TENER	(tú)	ten	no tengas
	(usted)	tenga	no tenga

SALIR	(tú)	sal	no salgas
	(usted)	salga	no salga

DECIR	(tú)	di	no digas
	(usted)	diga	no diga

Usos del imperativo negativo

Se usa fundamentalmente para recomendaciones, advertencias y consejos.

- **No fumes** tanto, que tienes mucha tos.
- **No salgas** ahora, que hay mucho tráfico.

IMPERATIVO Y PRONOMBRES

Al contrario de lo que pasa con el imperativo afirmativo, en la forma negativa, los pronombres OD, OI y reflexivos se colocan antes del verbo.

- Dí**selo** todo a Luisa.
- Esas pastillas, tóma**las** en ayunas.
- Pónga**se** ya la chaqueta.

- No **le** digas nada a Luisa.
- Esas pastillas, no **las** tomes en ayunas.
- No **se** ponga la chaqueta todavía.

ADVERBIOS EN -MENTE

adjetivo femenino + **mente**

moderada   ⟶   moderada**mente**
excesiva   ⟶   excesiva**mente**
especial   ⟶   especial**mente**
frecuente   ⟶   frecuente**mente**

Seguramente es una rotura de fémur.

Es precisamente lo que iba a decir.

No siempre coincide el significado del adverbio con el del adjetivo del que procede. Algunos adverbios sirven para organizar el discurso.

Yo, **personalmente,** pienso que eso no es verdad.
(≠ de forma personal. Refuerza la idea de que el hablante se refiere únicamente a la propia opinión.)

Hola, Juan, **precisamente** estábamos hablando de ti.
(≠ de forma precisa. Se refiere a la coincidencia del tema de la conversación con otro tema, en este caso, la llegada de Juan.)

Seguramente iré de vacaciones a París.
(≠ de forma segura. Indica probabilidad.)

Ah, eres tú, **justamente** quería llamarte.
(≠ de forma justa. Indica la coincidencia del tema de la conversación con otro tema.)

CONECTORES

Contraponer ideas

- La nicotina tiene efectos nocivos. **Sin embargo**, muchas personas fuman.
- **A pesar de que** el tabaco es peligroso, mucha gente no puede dejarlo.
- **Aunque** los médicos se lo han prohibido, mi padre sigue fumando.

Expresar la causa

El hablante expresa la causa dando por supuesto que el interlocutor comparte la idea de relación causa-efecto.

- Mucha gente lucha contra el tabaco, **ya que** sabe que es peligroso.
- **Como** el tabaco es peligroso, mucha gente lucha por dejarlo.

El hablante presenta la causa como información nueva.

- Muchos fumadores luchan contra el tabaco **porque** saben que es peligroso.

DESCRIBIR OBJETOS

una maleta

- **pequeña** — *(adjetivo)*
- **sin** ruedas — *(preposición + nombre)*
- **de** tela
- **con** cerradura
- **para** una chica joven
- **para** regalar — *(preposición + infinitivo)*
- **que pesa/e** muy poco — *(**que** + verbo conjugado)*

Material

***de** + nombre*

| una lámpara **de** | tela | cuero | plástico | madera | cristal |
| | acero | metal | piel | papel | ... |

Partes y componentes

una maleta **con** ruedas (= *que tiene ruedas*)

Utilidad

- **Sirve para** cocinar.
- **Se usa para** freír.
- **Lo usan** los cocineros.

- Es un aparato **con el que** se puede rallar queso.
- Es una cosa **en la que** se puede poner mantequilla.
- Son unos aparatos **sin los que** no podríamos trabajar.
- Son unas gafas **a las que** les puedes conectar una cámara.

Es una cosa con la que puedes hablar con otras personas. Es de plástico y puede ser de muchos colores.

¡Un teléfono!

Funcionamiento

- **Se** enchufa a la corriente.
- **Se** abre solo/a.

- **Va / funciona con/sin**
  - pilas.
  - gasolina.
  - energía solar.

Propiedades

- **(No) se puede**
  - comer.
  - doblar.
  - romper.

EL PRESENTE DE SUBJUNTIVO

Regulares		*Irregulares*				
-AR	**-ER/-IR**	**O/UE**	**E/IE**			
HABL**AR**	VIV**IR**	P**O**DER	QU**E**RER	HABER	SER	IR
habl**e**	viv**a**	p**ue**da	qu**ie**ra	**hay**a	**se**a	**vay**a
habl**es**	viv**as**	p**ue**das	qu**ie**ras	**hay**as	**se**as	**vay**as
habl**e**	viv**a**	p**ue**da	qu**ie**ra	**hay**a	**se**a	**vay**a
habl**emos**	viv**amos**	podamos	queramos	**hay**amos	**se**amos	**vay**amos
habl**éis**	viv**áis**	podáis	queráis	**hay**áis	**se**áis	**vay**áis
habl**en**	viv**an**	p**ue**dan	qu**ie**ran	**hay**an	**se**an	**vay**an

El presente de subjuntivo de muchos verbos irregulares tiene la misma raíz que la primera persona del presente de indicativo:

TENER	(yo)	**teng**o	⟶	teng-	
PONER	(yo)	**pong**o	⟶	pong-	
DECIR	(yo)	**dig**o	⟶	dig-	
HACER	(yo)	**hag**o	⟶	hag-	
SALIR	(yo)	**salg**o	⟶	salg-	
VENIR	(yo)	**veng**o	⟶	veng-	

CONTRASTE INDICATIVO / SUBJUNTIVO EN FRASES RELATIVAS

Usamos el indicativo en frases con **que** para acompañar a un sustantivo con el que describimos cosas o a personas concretas, que conocemos o que sabemos que existen.

- Estoy buscando una maleta *que* **tiene** cerradura, **es** verde y azul y **pesa** muy poco. La he perdido en esta estación.
  (= conozco esa maleta y quiero esa, no otra, aunque sea igual)

- Quiero trabajar con una actriz *que* **es** rubia y que **toca** el piano.
  (= conozco a esa actriz; no necesito que sea rubia ni que toque el piano, solo la estoy describiendo)

- No quiero ese coche *que* **gasta** tanta gasolina.
  (= podemos decir la marca y el modelo del coche)

En este tipo de frases usamos el subjuntivo con sustantivos con los que describimos las características de cosas o de personas desconocidas, no concretas, hipotéticas.

- Estoy buscando una maleta *que* **tenga** cerradura y que **pese** poco. Que **sea** de color azul o verde. Es para regalársela a mi hija.
  (= no hablo de una maleta concreta, estoy describiendo las características de una maleta que quiero regalar)

- Quiero trabajar con una actriz *que* **sea** rubia y que **toque** el piano.
  (= no hablo de una actriz concreta, necesito una que tenga esas características: que sea rubia y que toque el piano)

- No quiero un coche *que* **gaste** tanta gasolina.
  (= ninguno que gaste mucha gasolina)

Quiero un televisor que tenga buena definición de pantalla y que cueste menos de 300 euros.

Bueno, tengo uno que cuesta 350 euros y que tiene muy buena definición.

Las frases relativas con subjuntivo pueden aparecer en oraciones principales con verbos como **querer**, **buscar**, **necesitar** o con verbos en futuro.

- **Busco** una maleta que sea ligera y resistente.
- **Quiero** un coche que sea pequeño y consuma poco.
- En el futuro **se fabricarán** coches que funcionen con agua.

FRASES RELATIVAS CON PREPOSICIÓN

Estas frases pueden llevar preposiciones (**en**, **de**, **con**, **por**...). En ese caso se construyen con el artículo definido, que concuerda en género y en número con el sustantivo.

un móvil **con el que**
unos móviles **con los que** ⎤ puedo / pueda navegar por internet

una carretera **por la que**
unas carreteras **por las que** ⎤ pasan / pasen muchos coches

algo **con lo que** pueda escribir

PRONOMBRES ÁTONOS (OBJETO DIRECTO, OBJETO INDIRECTO)

Cuando un elemento ya ha sido mencionado, o ya es conocido por los interlocutores, lo colocamos al principio de la frase, antes del verbo. Cuando el OD se anticipa así, aparece también el pronombre correspondiente.

- ● He traído una botella de vino
  y unas latas de cerveza.
- ○ Las cervezas **las** pones en la nevera.
- ● ¿Y los pasteles?
- ○ Los pasteles **los** trae Manuel.

> Las puertas las puedes pintar de azul, y las ventanas las dejas como están.

> Esto no sucede cuando el OD va sin artículo o demostrativo, es decir, cuando tiene valor genérico.
>
> - ● ¿Tienes cámara de vídeo o de fotos?
> - ○ De vídeo no tengo. De fotos, sí.

El pronombre de OI también aparece cuando el OI va antes del verbo.

- ● A Jaime **le** di la factura, y a María **le** envié el recibo.

En español hablado, además, el pronombre de OI suele aparecer también cuando el OI va después del verbo.

- ● **Le** di la factura a Jaime y **le** envié el recibo a María.

SE **EN COMBINACIÓN CON** LO/LA/LOS/LAS

Reflexivo + OD

- ● ¿Jaime ha traído el regalo?
- ○ No. **Se lo** ha dejado en casa.
- ○ No. ~~**Le lo**~~ ha dejado en casa.

OI + OD

- ● ¿Y el ordenador viejo?
- ○ **Se lo** he dado a mi madre.
- ○ ~~**Le lo**~~ he dado a mi madre.

SE: IMPERSONALIDAD, INVOLUNTARIEDAD

Funcionamiento, instrucción

- ● **Se** aprieta este botón, **se** gira esta palanca y ya está.
- ● **Se** dobla por la mitad y **se** hace un corte.

Procesos que ocurren sin intervención de las personas

- ● Estas copas **se** rompen muy fácilmente.
- ● La calefacción **se** pone en marcha automáticamente.

Procesos que le ocurren a alguien sin su voluntad

- ● Perdona, **se me** ha caído al suelo y **se me** ha roto.
- ● Al niño **se le** ha cerrado la puerta y nos hemos quedado fuera sin llave.

> Se enchufa y se aprieta el botón verde.

> ¿Y ya está?

> Sí, se enciende automáticamente.

GENTE CON IDEAS

EXPRESAR FUTURO

El futuro de indicativo se usa para hablar propiamente del futuro, de situaciones o de acontecimientos futuros que se presentan sin relación con el momento presente.

- Mañana **lloverá** en la parte sur del país.
- A partir de hoy **tendremos** un servicio nocturno.

futuros regulares

hablar leer escribir	-é -ás -á -emos -éis -án

futuros irregulares

TENER	tendr	
SALIR	saldr	
VENIR	vendr	-é
PONER	pondr	-ás
DECIR	dir	-á
HACER	har	-emos
CABER	cabr	-éis
HABER	habr	-án
SABER	sabr	

Usamos la perífrasis **ir a** + *infinitivo* cuando queremos relacionar el futuro con el momento presente. La acción futura se presenta como una intención, un proyecto o una previsión. Podemos decir que entre **comeré** y **voy a comer** existe una relación semejante a la que se da entre **comí** y **he comido**.

- **Vamos a organizar** un viaje. ¿Quieres participar?
- **Voy a hacer** lo que me pide, pero no lo veo claro.

Usamos el presente de indicativo para expresar futuro, normalmente junto con expresiones del tipo **ahora mismo**, **enseguida** o **en un momento**. En estos casos el futuro se vincula al presente por diversas razones.

- Ahora mismo **voy**.
- Enseguida le **atiendo**.   *hecho presentado como inmediato*
- **Vuelvo** en un minuto.

- ¿Qué **hacéis** mañana?   *hecho presentado como*
- El año que viene **me caso**.   *resultado de una decisión*

- Este año Semana Santa **es** en marzo. *parte de un ciclo*
- Mañana miércoles **está** cerrado.   *que se repite*

Futuro de indicativo	
• ¿Le has dicho ya a Fernández lo que ha pasado? ○ No. Se lo **diré** esta tarde.	*hechos objetivos*
Ir a + *infinitivo*	
• ¿Le has dicho ya a Fernández lo que ha pasado? ○ No. Ni se lo he dicho ni se lo **voy a decir.**	*intenciones*
Presente de indicativo	
• Deberías hablar con Fernández. ○ Vale. Mañana se lo **explico** todo	*decisiones*

GENTE CON IDEAS

CUANDO / DONDE / COMO / TODO LO QUE... + **SUBJUNTIVO**

Usamos esta construcción para hacer ofrecimientos corteses y para dejar que decida nuestro interlocutor.

futuro	+	*subjuntivo*
• Se la **llevaremos**		**a donde** nos **diga.**
• Lo **vamos a hacer**		**como** tú **quieras.**
• Le **mandaremos** a su casa		**todo lo que** pida.
• **Iré** a verte		**cuando** me **digas.**

LLEVAR / LLEVARSE / TRAER

llevar Trasladar algo de un sitio a otro (en la dirección de **ir**).

> • **Lléva**le esto a tu madre y dáselo de mi parte.

traer Trasladar algo de un sitio hasta donde se encuentra el hablante (en la dirección de **venir**).

> • Cuando vengas a casa, **tráe**me esos discos que te dejé.

llevarse Llevar consigo una cosa al abandonar un lugar (en la dirección de **irse**).

> • Acuérdate de **llevarte** este libro, que es tuyo.

CUALQUIER / A

sustantivo singular
cualquier cliente (= no importa qué cliente)
cualquier empresa (= no importa qué empresa)

> • Llámenos a **cualquier** hora, pídanos **cualquier cosa**, y se la llevaremos a **cualquier sitio**.

> Cuando sustituye a un sustantivo, o va después de este, la forma es **cualquiera**.

>> • ¿Cuál prefieres? ¿Este o aquel?   • ¿Cuál prefieres? ¿La grande o la pequeña?
>> ○ **Cualquiera**.   ○ **Cualquiera**

>> • Eso lo encontrarás en una papelería **cualquiera**.

> El plural es **cualesquiera**, pero se usa solo en un registro muy formal.

>> • David, **cualesquiera** que sean los motivos de tu enfado, debes perdonar a tu hermano.

TODO/A/OS/AS

Todo/a/os/as va acompañado, en general, del artículo correspondiente.

	sustantivo		*verbo*
todo el	dinero	**todo lo que**	hemos pedido
toda la	pizza	**todo lo que**	llevamos
todos los	pedidos	**todo lo que**	tenemos
todas las	botellas		

Cuando sustituyen a un sustantivo, **todo**, **toda**, **todos** y **todas** exigen el uso del correspondiente pronombre OD: **lo**, **la**, **los**, **las**.

- ●¿Y el arroz?
- ○Me **lo** he comido **todo**.

- ●¿Y la pizza?
- ○Me **la** he comido **toda**.

- ●¿Y los pollos?
- ○Se **los** han comido **todos**.

- ●¿Y las gambas?
- ○Se **las** han comido **todas**.

SE + LO/LA/LOS/LAS

Cuando se combinan los pronombres de OI **le** o **les** con los de OD **lo**, **la**, **los**, **las**, se produce un cambio en los primeros, que se convierten en **se**.

- ●¿Y el pollo?
- ○**Se lo** traeré ahora mismo.
- ○~~**Le lo**~~ traeré ahora mismo.

POSICIÓN DE LOS PRONOMBRES

	delante del verbo	detrás del verbo
con infinitivo, gerundio e imperativo afirmativo		Es necesario decír**selo** ya. Diciéndo**selo** no solucionarás nada. Decíd**selo** pronto.
con perífrasis de infinitivo o gerundio	**Se lo** debemos decir pronto. Ahora **se lo** están diciendo. ¿**Se lo** vas a decir hoy?	Debemos decír**selo** pronto. Ahora están diciéndo**selo**. ¿Vas a decír**selo** hoy?
en los demás casos	**Se lo** dije. **Se las** dio ayer. No **se lo** digas, por favor.	

VENTAJAS E INCONVENIENTES

Lo que pasa es que...

- ● Tienes razón, este es mejor. **Lo que pasa es que** es más caro.

El problema es que...

- ● Tienes razón, este es mejor. **El problema es que** es más caro.

Lo bueno / malo es que...

- ● Tienes razón, este es mejor. **Lo malo es que** es más caro.
- ● Tienes razón, este es mejor. Y **lo bueno es que** es más barato y de muy buena calidad.

EXPRESAR IMPERSONALIDAD

Expresamos impersonalidad con la construcción **se** + 3ª persona del singular/plural.

- Cuando **se compra** un producto de calidad, **se paga** un precio mayor.
- Cuando **se compran** product**os** de calidad, **se pagan** precio**s** mayor**es.**

Expresamos impersonalidad también con la 2ª persona del singular. Con esta construcción, el hablante se incluye o se implica en la acción. Es propia de la lengua oral.

- Es una tienda en la que **puedes** elegir entre muchos modelos, y **te** sale muy barato. Además, si luego no **te** va bien, lo **puedes** cambiar todo.

Finalmente, también podemos expresar impersonalidad con **uno** + 3ª persona del singular. Su uso es más frecuente en la lengua oral.

- Cuando **uno quiere** productos de calidad, tiene que pagarlos.

Esta construcción se usa tanto en lengua oral como en lengua escrita cuando la impersonalidad se refiere a verbos reflexivos, con los que no se puede utilizar la construcción con **se**.

- Cuando **uno se acuesta** muy tarde, el día siguiente está fatal.
- Cuando ~~**se se**~~ acuesta...

¡Vaya! Una no puede dejar una caja de bombones en esta casa.

¡Es verdad! Si no los escondes, desaparecen.

LA CANTIDAD DE PERSONAS

- **Todo el mundo**
- **Casi todo el mundo**

trabaja por la tarde.

- **La mayoría de**

las personas
los españoles
los jóvenes

compran en grandes almacenes.

- **La gente**
- **Mucha gente**
- **No mucha gente**

quiere un servicio rápido.

- **Casi nadie**
- **Nadie**

compra por catálogo en España.

PORCENTAJES

3%   **el** tres **por ciento** (**de** los holandeses)

7,2%   **el** siete **coma** dos **por ciento** (**de** los españoles)

QUERER + **INFINITIVO** / QUE + **SUBJUNTIVO**

En frases con el mismo sujeto   • ¿**Quieres aprender** a cocinar platos españoles?
                                       tú   *tú*

En frases con sujetos diferentes   • ¿**Quieres** que tu hijo **aprenda** español de una manera divertida?
                                       tú   *tu hijo*

CUANDO + SUBJUNTIVO: EXPRESIÓN DE FUTURO

Para referirnos a una acción futura, relacionada con otra acción o estado futuros, podemos usar la construcción **cuando** + subjuntivo.

Cuando tenga cuatro añitos, iré al cole con mi hermano.

presente de subjuntivo

Cuando tengamos más tiempo, ⟨1⟩ iremos a Argentina de vacaciones. ⟨2⟩

(1 y 2 se darán en el mismo momento)

pretérito perfecto de subjuntivo

Cuando se haya acabado el petróleo, ⟨1⟩ tendremos que usar otras energías. ⟨2⟩

(1 es anterior a 2)

Pretérito perfecto de subjuntivo

(yo)	**haya**	
(tú)	**hayas**	
(él, ella, usted)	**haya**	termin**ado**
(nosotros/as)	**hayamos**	+ com**ido**
(vosotros/as)	**hayáis**	ven**ido**
(ellos, ellas, ustedes)	**hayan**	

ESPECULAR SOBRE EL FUTURO: GRADOS DE PROBABILIDAD

Podemos referirnos al futuro formulando hipótesis o expresando nuestras opiniones con más o menos seguridad.

Estoy seguro de que
Seguro que
Seguramente
Probablemente
Tal vez / quizá(s)

indicativo

pronto **se descubrirá** una vacuna para esa enfermedad.

Es probable que
Es posible que
Seguramente
Probablemente
No estoy seguro de que
Dudo que
No creo que
Tal vez / quizá(s)

subjuntivo

pronto **se descubra** una vacuna para esa enfermedad.

RECURSOS PARA EL DEBATE

Presentar la propia opinión.

(A mí) me da la impresión de que
(Yo) pienso que
En mi opinión
(Yo) creo que

indicativo

internet nos **hace** la vida más fácil.

(Yo) no creo / pienso/... que

subjuntivo

internet nos **haga** la vida más fácil.

Mostrar acuerdo

- Sin duda.
- (Sí), claro.
- (Sí), seguro.
- (Sí), yo también lo creo.
- (Sí), desde luego.

Mostrar desacuerdo

- No, qué va.
- No, no, en absoluto.
- No, de ninguna manera.
- Pues yo no lo veo así.
- En eso no estoy (nada) de acuerdo.
- Pues yo no lo veo como tú / usted / ellos / Jaime/...

Mostrar cierta duda

- (Sí), seguramente.
- (Sí), es probable.
- (Sí), puede ser.
- ¿Tú crees? / ¿Usted cree?
- (Yo) no estoy (muy) seguro/a de eso.
- No sé, no sé...

Contradecir en parte

- Sí, ya, pero
- No sé, pero yo creo que
- Tal vez sea así, pero
- Puede que tengas razón, pero
- Bueno, pero

frase en indicativo

debemos tener en cuenta otros factores.

¿Lo que quieres decir es que estoy haciendo trampas?

No, no digo que estés haciendo trampas pero, ¿qué hace esa carta debajo de tu boina?

Clarificar las opiniones y reformularlas

frase en subjuntivo
- No, si yo no digo que eso **sea** falso.

frase en indicativo
- Lo que quiero decir es que **debemos** tener en cuenta otros factores.

Pedir reformulaciones

frase en indicativo
- ¿Lo que quieres decir es que **debemos** tener en cuenta otros factores?

- No sé si te / le he entendido bien.

Al obtener el turno

Bien...
Yo quería decir que...
Pues...

Para tomar la palabra

(Yo quería decir) una cosa...
Yo quería decir que...

Pedir confirmación de una opinión o mantener la atención

... ¿no?
... ¿verdad?
... ¿no cree/s?

CONECTORES DE ARGUMENTACIÓN

Informar de un hecho y de sus consecuencias.

por eso
● Los transportes públicos funcionan mal. **Por eso** la gente va en coche.

Las reservas de petróleo no son eternas, por eso debemos buscar fuentes de energía alternativas.

Sí, incluso las grandes marcas de coches se han dado cuenta de eso.

Sacar conclusiones de una información.

así que
● No le han subido el sueldo; **así que** va a cambiar de trabajo.

entonces
● Al final no le han subido el sueldo.
○ **Entonces** se buscará otro trabajo, ¿no?

Resumir y sacar conclusiones.

total, que
● Se lleva mal con el jefe, gana poco, no le gusta el trabajo… **Total, que** va a buscar otro trabajo.

Aportar más información o más argumentos.

(y,) además,
● No le pagan mucho **y, además,** tiene que trabajar los domingos.

de hecho,
● Quiero cambiarme de trabajo. **De hecho,** ya he empezado a buscar.

Aportar una nueva información, que puede parecer inesperada o sorprendente, y que refuerza la argumentación.

incluso
● El Gobierno se ha equivocado con esa decisión. **Incluso** el Presidente lo ha reconocido.

Resaltar un argumento, quitando valor a otros anteriores.

en cualquier caso ● No es una buena solución, pero, **en cualquier caso,** es la única que podemos aplicar.

Contraponer razones o informaciones.

ahora bien
● Entiendo su opinión. **Ahora bien,** él debe hacer un esfuerzo y entender la mía.

sin embargo
● Es un país muy rico. **Sin embargo,** gran parte de la población vive en la miseria.

Referirse a un tema ya mencionado o conocido por el interlocutor.

en cuanto a
● **En cuanto a** los problemas ambientales que afectan a España, la deforestación es uno de los más graves.

(con) respecto a
● **(Con) respecto a** la política del Ministerio, tenemos que decir que no nos gusta nada.

Referirse a algo que se está diciendo o que ya se ha dicho

esto
- Sobre **esto** ya no hay nada más que decir. Ahora no podemos cambiar nada.
  (= algo que el propio hablante está diciendo)
- Fíjate en **esto**: la temperatura media del mundo subirá un grado hacia el año 2030.
  (= algo que el propio hablante va a decir)

eso
- **Eso** que ha dicho Javi es muy importante.
- En **eso** no estoy nada de acuerdo.
  (= algo que un interlocutor acaba de decir)
- ... y por **eso** no veo claro cómo podemos solucionar el problema. No tenemos otra solución, y a **eso** me refería cuando dije que estábamos obligados a aplicarla.
  (= algo que el hablante ha dicho y que vuelve a mencionar en relación con nuevas informaciones)

aquello
- ¿**Aquello** que me dijiste ayer es verdad?
- ¿Recuerdas **aquello** que te dije el lunes?
  (= algo más alejado en el discurso o en el tiempo, tanto del interlocutor como del hablante)

Según con qué verbos se combinen, **esto/eso/aquello** van acompañados de las correspondientes preposiciones.

con eso
No estar de acuerdo con algo.
- No estoy de acuerdo **con eso**.

a eso
Referirse a algo.
- Me refiero precisamente **a eso**.

de eso
Hablar de algo.
- **De eso** precisamente estamos hablando.

sobre eso
Discutir / hablar / pensar /... sobre algo.
- **Sobre eso** justamente tenemos que hablar hoy.

CONTINUIDAD E INTERRUPCIÓN

Seguir + *gerundio*
- **Sigue** viviendo en Suecia.

Seguir sin + *infinitivo*
- **Sigue sin** encontrarse bien.

Dejar de + *infinitivo*
- **Ha dejado de** trabajar.

Ya no + *presente indicativo*
- **Ya no** trabaja.

PARA + INFINITIVO Y PARA QUE + SUBJUNTIVO

En frases con el mismo sujeto

- Los trabajadores de muchos países **luchan para tener** salarios dignos.

En frases con sujeto genérico

- Se fabricarán coches eléctricos **para disminuir** la contaminación.

En frases con sujetos diferentes

- Algunos países están cambiando sus leyes **para que** las mujeres **tengan** los mismos derechos que los hombres.

¿Sigues saliendo con Arturo?

¿Arturo? Ya ni me acuerdo de la cara que tenía.

SENTIMIENTOS Y ESTADOS DE ÁNIMO

- **Tengo miedo de** la oscuridad.   *sustantivo*
- **Tengo miedo de quedarme** sin trabajo.   *infinitivo (mismo sujeto)*
- **Tengo miedo de que** Ana **se enfade** conmigo.   *subjuntivo (sujetos diferentes)*

infinitivo
Verte así

nombre singular
Este **tema**

que + *subjuntivo*
Que me **vea** así   me/te/le/nos/os/les   **da miedo / vergüenza / risa / pena...** sorprende. preocupa.

si/cuando + *indicativo*
Si los veo así

nombre plural
Estas **situaciones**   me/te/le/nos/os/les   **dan miedo / vergüenza / risa / pena...** sorprenden. preocupan. ...

> Me da vergüenza que mi hijo salga así a la calle.

> Pues a mí no me da nada de vergüenza ir así. ¡Al contrario!

En este tipo de frases, usamos la construcción con infinitivo cuando la persona que realiza la acción (**ver**, **vivir**...) y la que experimenta el sentimiento (**dar vergüenza**, **preocupar**...) son la misma.

     Me da vergüenza **ver** esas cosas.   ¿No **te preocupa vivir** en un mundo así?
     (a mí)   =   *(yo)*   *(a ti)*   =   *(tú)*

En cambio, la construcción **que** + *subjuntivo* se usa cuando la persona que realiza la acción (**ver**, **vivir**...) y la que experimenta el sentimiento (**dar vergüenza**, **preocupar**...) son diferentes.

- **Me da** vergüenza **que** me **veas** así.
     (a mí)   *(tú)*
- ¿No **te preocupa que** la gente **viva** en un mundo así?
      (a ti)   *(la gente)*

La construcción **si** / **cuando** + *indicativo* se puede usar, en todos los casos, con las expresiones con el verbo **dar** (**miedo**, **pena**, **vergüenza**...).

- **Me da** vergüenza **cuando veo** esas cosas.
     (a mí)   *(yo)*
- **Me da** vergüenza **si** me **ves** así.
     (a mí)   *(tú)*

ASÍ

Usamos **así** para referirnos a la forma de ser de algo o de alguien que, por el contexto, se supone conocida por el interlocutor.

- No le hagas caso; él es **así**.   (= despistado, desordenado...)
- Siempre hace las cosas **así**.   (= deprisa, sin poner atención...)
- No te pongas **así**.   (= No te enfades.)

CAMBIOS EN LOS ESTADOS DE ÁNIMO

Ponerse + *adjetivo* / **de buen** / **mal humor**...

(me, te, se, nos, os, se)

- **Se ha puesto** muy **nerviosa** cuando se ha enterado de la noticia.
- **Nos pusimos contentísimos** al volver a ver a Rosa.

Ponerlo + *adjetivo* / **de buen/mal humor**...

(me, te, lo / la , nos, os, los/las)

- La noticia **la ha puesto** muy **nerviosa**.
- **Me puso contentísimo** volver a ver a Rosa.   *infinitivo (mismo sujeto)*
- ¿No **te pone de mal humor** que te hagan esperar?   *subjuntivo (sujetos diferentes)*

Enfadarse
(me, te, se, nos, os, se)

- Mis padres **se han enfadado** con nosotros porque hemos llegado tarde.
- Mi novio y yo **nos enfadamos** a menudo.

- Mi novio **me ha ~~endadado~~**.
- Mi novio **me ha hecho enfadar**.

Para expresar cambios de carácter, personalidad y comportamiento, usamos **volverse**.
- **Me he vuelto** más sensible.
- **Se ha vuelto** muy autoritario.

Para expresar desarrollo y evolución personal, profesional o social, empleamos **hacerse**.
- **Nos hemos hecho** viejos.
- **Se hizo** rica.
- **Se ha hecho** un experto en el tema.

Se ha vuelto un poco raro desde que se ha hecho rico.

PASAR / PASARLO / PASARLE / PASÁRSELE

Pasar (*alguien*).

+ unidades temporales
- ¿Qué tal **ha pasado** la noche el enfermo?
- **He pasado** unos días muy agradables.

Pasarlo (*alguien*).
(lo)

+ adverbio valorativo o adjetivo sin flexión
- **Lo hemos pasado** bien / mal / estupendo / fatal...
- Que **lo paséis** muy bien.

Pasarle (*algo a alguien*).
(me, te, le, nos, os, les)

+ suceso
Siempre **me pasan** cosas extrañas.
¿Qué **te pasa**?

Pasársele (*algo a alguien*).
(se + me, te, le, nos, os, les)

> *desaparición de una situación o sentimiento*
> ¿Ya **se te han pasado** los celos?
> Estaba muy triste, pero ya **se le ha pasado**.

La expresión **pasársele algo a alguien** se construye como otras que tienen un matiz parecido de involuntariedad: **olvidársele, caérsele, rompérsele, ocurrírsele algo a alguien**...

(A mí)	**se me**	
(A ti)	**se te**	**ha** pasado el mal humor / el dolor / el hambre /...
(A él, ella, usted)	**se le**	
(A nosotros/as)	**se nos**	
(A vosotros/as)	**se os**	**han** pasado las ganas de jugar / los celos /...
(A ellos, ellas, ustedes)	**se les**	

VALORAR NEGATIVAMENTE A LAS PERSONAS UN POCO / POCO

Un poco / poco

adjetivos negativos
- Es **un poco** egoísta.
- Es **un poco** orgullosa.
- Es **un poco** tímido.
- Es **un poco** despistado.
- Es **un poco** ~~inteligente~~.

adjetivos positivos
- Es **poco** sincero.
- Es **poco** responsable.
- Es **poco** consciente.
- Es **poco** valiente.

> Para criticar a alguien:
> - Es un egoísta.
> - Es una antipática.
> - Son unos pesados.
> - Son unas irresponsables.

CONSEJOS Y VALORACIONES

Usamos la construcción con infinitivo cuando el consejo que damos es general y no lo dirigimos de modo explícito a nadie.

	adjetivo	*infinitivo*
Es	fundamental	**estudiar** mucho para aprobar el curso.
Me parece	exagerado	**levantarse** tan temprano.

En cambio, cuando nos referimos a un sujeto concreto, usamos la construcción **que** + *subjuntivo*.

	adjetivo	**que** + *subjuntivo*
Es	fundamental	**que estudies** mucho para aprobar el curso.
Me parece	exagerado	**que te levantes** tan temprano.

SUPERLATIVOS EN -ÍSIMO

buen**o/a/os/as** ⟶ buen**ísimo/a/os/as**

car**o/a/os/as**/a ⟶ car**ísimo/a/os/as**

> No todos los adjetivos admiten el uso de esta forma.
>
> egoísta ~~egoistísimo~~

Algunos adjetivos sufren cambios de diversos tipos.

ama**bl**e ⟶ amab**il**ísimo/a

simpáti**c**o/a ⟶ simpati**qu**ísimo/a

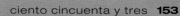

PEDIR Y DAR COSAS

- ● **¿Tiene/s**
- ● **¿Me deja/s**
- ● **¿Puede/s dejarme**
- ● **¿Podría/s dejarme**
- ● **¿Te/le importaría dejarme**

un bolígrafo?
tu diccionario?
algo para quitar manchas?

- ○ Sí, tome/a.
- ○ Sí, claro.
- ○ **No tengo** bolígrafo/diccionario/...
  ninguno/a.

- ○ **Lo siento, pero no lo/la tengo aquí.**
  aquí no tengo ninguno/a.

La elección entre las diferentes fórmulas depende del grado de familiaridad con el interlocutor, pero también depende de la dificultad que se considera que tiene la petición que se realiza.

¿Te importaría lavar los platos tú hoy? Es que yo tengo que salir ya.

Sí, claro. Por supuesto.

PEDIR A ALGUIEN QUE HAGA ALGO

Se pueden usar diversas fórmulas, según el grado de familiaridad con el interlocutor y según el tipo de petición que se realiza.

+ infinitivo

- ● **¿Puede/s**
- ● **¿Podría/s**
- ● **¿Te/le importa**
- ● **¿Te/le importaría**

venir un momento a mi despacho?
llamarme por teléfono más tarde?
fregar los platos?
bajar un poco la música?

En peticiones de poca importancia, en relaciones de mucha confianza o, al contrario, muy jerarquizadas, también se pueden usar imperativos para pedir acciones.

- ● **Pásame** la sal, por favor.
- ● Papá, **tráeme** un cuaderno de dibujo y unos lápices.
- ● **Dame** la chaqueta, cariño.

¡Sargento! ¡Venga inmediatamente a mi despacho!

PEDIR Y DAR PERMISO

Con infinitivo

- ● **¿Puedo abrir** la ventana?
- ○ **Sí, claro, ábrela.**

- ● **¿Puedo pasar?**
- ○ **Pase, pase.**

Con presente de indicativo

- ● **¿Te/le importa si vengo** con Toni?
- ○ **No, claro, cómo me va a importar.**

Con presente de subjuntivo

- ● **¿Te/le importa que traiga** a unos amigos?
- ○ **No, claro, al contrario.**

Al dar permiso, en español, es muy frecuente repetir algún elemento.

- ¿Puedo poner este disco?
- Sí, **ponlo, ponlo.**

  Sí, sí, ponlo.

  ~~**Sí, puedes.**~~

REFERIR LAS PALABRAS DE OTROS

Transmitir informaciones: **decir, comentar, contar**

me te le nos os les	dice ha dicho comenta ha comentado cuenta ha contado	que	+ *indicativo* María **se casa** el lunes. ayer no **se encontraba** bien.

- ¿Qué **te cuenta** Clara en la carta?
- Pues nada, **que** está pasando unos días en Italia.

- **Me han contado que** has cambiado de trabajo. ¿Dónde estás ahora?

Transmitir preguntas: **preguntar**

me te le nos os les	pregunta ha preguntado	si qué cuándo por qué …	+ *indicativo* **vamos** a ir a su boda. **quiero** comer mañana. **iremos** a la playa. **estoy** enfadado.

- Rosa **me ha preguntado** varias veces **si** vamos a ir a su boda.
- Mi abuela siempre **nos pregunta por qué** no vamos a visitarla más a menudo.
- Siempre que el profesor **le pregunta** a Michael **qué** ha hecho el fin de semana, él **le dice que** ha estado viendo la tele.

En la lengua oral es frecuente el uso de **que** antes de las otras partículas interrogativas (**que si**, **que dónde**, **que cuándo**...), pero se evita en la lengua escrita.
- Rosa **me ha preguntado** varias veces **(que) si** vamos a ir a su boda.

GENTE Y MENSAJES

Transmitir o referir peticiones, recomendaciones y consejos:
decir, pedir, recomendar, aconsejar...

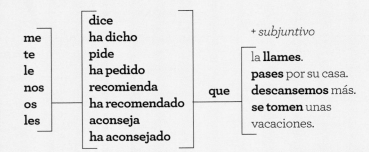

| me te le nos os les | dice ha dicho pide ha pedido recomienda ha recomendado aconseja ha aconsejado | que | *+ subjuntivo* la **llames**. **pases** por su casa. **descansemos** más. **se tomen** unas vacaciones. |

Venid aquí, y así podemos hablar tranquilamente.

Dice que vayamos a su casa.

Oye, he perdido mis apuntes. ¿Puedes traerme los tuyos?

Dice que ha perdido sus apuntes y que si puedo llevarle los míos.

- **Me ha dicho** tu jefe **que** lo **llames** cuanto antes.
- Alberto **me ha pedido que vaya** con él a la playa, pero no sé qué hacer.

Muchas veces reformulamos con un único verbo todas las palabras de la persona que las dijo.

- **Me ha dicho que vaya** a su fiesta. = **Me ha invitado** a su fiesta.

Para ello, en lugar de los verbos habituales (**decir**, **preguntar**...) utilizamos otros.

invitar	pedir	protestar
enviar / mandar saludos	recordar	aconsejar
agradecer	felicitar	recomendar
disculparse	avisar	dar las gracias
saludar	quejarse	dar la enhorabuena

Algunos de estos verbos necesitan una preposición: avisar **de**, invitar **a** alguien **a** hacer una cosa, felicitar **por**, dar las gracias **por**, dar la enhorabuena **por**.

- Juan nos ha escrito. **Nos invita a** su fiesta de cumpleaños. Es el sábado.
- Los Pérez han escrito. **Nos dan las gracias por** el regalo que les hicimos.

FORMAS Y USOS DE LOS POSESIVOS

Podemos determinar un objeto o una persona usando los posesivos de la serie átona antes del sustantivo.

singular	*plural*	
mi	**mis**	
tu	**tus**	
su (de él, ella, usted)	**sus** (de él, ella, usted)	
nuestro/a	**nuestros/as**	*+ sustantivo*
vuestro/a	**vuestros/as**	
su (de ellos, ellas, ustedes)	**sus** (de ellos, ellas, ustedes)	

- **Mi** coche está aparcado en la entrada.
- ¿Dondes están **vuestras** maletas?

Para informar sobre quién es el propietario de un objeto, se usa el pronombre posesivo tónico sin artículo, normalmente con el verbo **ser**.

	singular		*plural*
(es)	mío/a	(son)	míos/as
	tuyo/a		tuyos/as
	suyo/a		suyos/as
	nuestro/a		nuestros/as
	vuestro/a		vuestros/as
	suyo/a		suyos/as

● ¿Es **vuestra** esta maleta?
○ A ver… Sí, muchas gracias.

● ¿De quién es este libro?
○ (Es) **mío**, gracias.

Cuando ya está claro a qué sustantivo nos referimos, para evitar repeticiones usamos los pronombres de la serie tónica con artículo.

singular		*plural*	
el mío	la mía	los míos	las mías
el tuyo	la tuya	los tuyos	las tuyas
el suyo	la suya	los suyos	las suyas
el nuestro	la nuestra	los nuestros	las nuestras
el vuestro	la vuestra	los vuestros	las vuestras
el suyo	la suya	los suyos	las suyas

● Tengo muchos problemas con **mi** ordenador nuevo. ¿Tú no?
○ ¡Qué va! **El mío** funciona estupendamente.

● Tú y Enrique tenéis el mismo coche, ¿no?
○ No, **el suyo** es un poco más potente.

¿Esta es la tuya?

No, la mía es marrón.

FÓRMULAS EN LA CORRESPONDENCIA

En la correspondencia podemos encontrar diferentes niveles de formalidad para dirigirse a personas con las que mantenemos relaciones de diferente tipo.

	encabezamiento	*despedida*
Estilo familiar, para amigos y conocidos	**Querido** Pepe: **Querido/a amigo/a:** Pepe: **Hola,** Pepe:	**Muchos besos,** **Un fuerte abrazo,** **Recuerdos a…** **Besos para…**
Estilo cordial, para conocidos o desconocidos	**Apreciado/a amigo/a:** **Estimado/a colega:** **Estimado Sr./Sra.** López:	**Un cordial saludo,** **Un (fuerte) abrazo,** **Saludos a…**
Estilo distante, para desconocidos	**Muy señor mío:** **Distinguido/a señor/a:**	**Atentamente (le saluda),** **Cordialmente,**

GENTE QUE SABE

FORMAS VERBALES NO PERSONALES

	infinitivo	*gerundio*	*participio*
-AR	estudi**ar**	estudi**ando**	estudi**ado**
-ER	beb**er**	beb**iendo**	beb**ido**
-IR	sal**ir**	sal**iendo**	sal**ido**

participios irregulares

VER	**visto**	HACER	**hecho**
VOLVER	**vuelto**	PONER	**puesto**
ESCRIBIR	**escrito**	DECIR	**dicho**

EL PRESENTE DE INDICATIVO

regulares

	-AR ESTUDI**AR**	**-ER** LE**ER**	**-IR** ESCRIB**IR**
(yo)	estudi**o**	le**o**	escrib**o**
(tú)	estudi**as**	le**es**	escrib**es**
(él, ella, usted)	estudi**a**	le**e**	escrib**e**
(nosotros/as)	estudi**amos**	le**emos**	escrib**imos**
(vosotros/as)	estudi**áis**	le**éis**	escrib**ís**
(ellos, ellas, ustedes)	estudi**an**	le**en**	escrib**en**

irregulares frecuentes

	SER	ESTAR	IR
(yo)	soy	estoy	voy
(tú)	eres	estás	vas
(él, ella, usted)	es	está	va
(nosotros/as)	somos	estamos	vamos
(vosotros/as)	sois	estáis	vais
(ellos, ellas, ustedes)	son	están	van

otros irregulares

	DECIR	OÍR	SABER	HACER
(yo)	d**igo**	o**igo**	**sé**	ha**go**
(tú)	d**ices**	o**yes**	sabes	haces
(él, ella, usted)	d**ice**	o**ye**	sabe	hace
(nosotros/as)	decimos	oímos	sabemos	hacemos
(vosotros/as)	decís	oís	sabéis	hacéis
(ellos, ellas, ustedes)	d**icen**	o**yen**	saben	hacen

con cambio vocálico

	(yo) ZC TRADU**CIR**	**O/UE** P**O**DER	**E/IE** QU**E**RER	**E/I** REP**E**TIR
(yo)	tradu**zc**o	p**ue**do	qu**ie**ro	rep**i**to
(tú)	traduces	p**ue**des	qu**ie**res	rep**i**tes
(él, ella, usted)	traduce	p**ue**de	qu**ie**re	rep**i**te
(nosotros/as)	traducimos	podemos	queremos	repetimos
(vosotros/as)	traducís	podéis	queréis	repetís
(ellos, ellas, ustedes)	traducen	p**ue**den	qu**ie**ren	rep**i**ten

reflexivos

	DUCHAR**SE**	ABURRIR**SE**
(yo)	**me** ducho	**me** aburro
(tú)	**te** duchas	**te** aburres
(él, ella, usted)	**se** ducha	**se** aburre
(nosotros/as)	**nos** duchamos	**nos** aburrimos
(vosotros/as)	**os** ducháis	**os** aburrís
(ellos, ellas, ustedes)	**se** duchan	**se** aburren

otros reflexivos frecuentes

LLAMAR**SE**	SENTAR**SE**
QUEDAR**SE**	PONER**SE**
TOMAR**SE**	IR**SE**
LEVANTAR**SE**	DORMIR**SE**
DESPERTAR**SE**	SENTIR**SE**
CUIDAR**SE**	DIVERTIR**SE**
LLEVAR**SE**	MORIR**SE**

EL PRETÉRITO PERFECTO DE INDICATIVO

*presente de **HABER** + participio*

(yo)	**he**	
(tú)	**has**	
(él, ella, usted)	**ha**	est**ado**
(nosotros/as)	**hemos**	com**ido**
(vosotros/as)	**habéis**	viv**ido**
(ellos, ellas, ustedes)	**han**	

EL PRETÉRITO IMPERFECTO DE INDICATIVO

regulares

	-AR HABLAR	-ER TENER	-IR VIVIR
(yo)	hablaba	tenía	vivía
(tú)	hablabas	tenías	vivías
(él, ella, usted)	hablaba	tenía	vivía
(nosotros/as)	hablábamos	teníamos	vivíamos
(vosotros/as)	hablabais	teníais	vivíais
(ellos, ellas, ustedes)	hablaban	tenían	vivían

EL PRETÉRITO INDEFINIDO DE INDICATIVO

regulares *irregulares con cambio vocálico*

	-AR TERMINAR	-ER CONOCER	-IR VIVIR	E/I PEDIR	O/U DORMIR
(yo)	terminé	conocí	viví	pedí	dormí
(tú)	terminaste	conociste	viviste	pediste	dormiste
(él, ella, usted)	terminó	conoció	vivió	pidió	durmió
(nosotros/as)	terminamos	conocimos	vivimos	pedimos	dormimos
(vosotros/as)	terminasteis	conocisteis	vivisteis	pedisteis	dormisteis
(ellos, ellas, ustedes)	terminaron	conocieron	vivieron	pidieron	durmieron

otros irregulares

	ESTAR	SER/IR	HACER	DECIR	CONDUCIR
(yo)	estuve	fui	hice	dije	conduje
(tú)	estuviste	fuiste	hiciste	dijiste	condujiste
(él, ella, usted)	estuvo	fue	hizo	dijo	condujo
(nosotros/as)	estuvimos	fuimos	hicimos	dijimos	condujimos
(vosotros/as)	estuvisteis	fuisteis	hicisteis	dijisteis	condujisteis
(ellos, ellas, ustedes)	estuvieron	fueron	hicieron	dijeron	condujeron

otras raíces irregulares

PODER	pud-		-e
PONER	pus-		-iste
TENER	tuv-		-o
SABER	sup-	+	-imos
VENIR	vin-		-isteis
QUERER	quis-		-ieron

EL PRETÉRITO PLUSCUAMPERFECTO DE INDICATIVO

*imperfecto de **HABER** + participio*

(yo)	había	
(tú)	habías	
(él, ella, usted)	había	estado
(nosotros/as)	habíamos	comido
(vosotros/as)	habíais	vivido
(ellos, ellas, ustedes)	habían	

GENTE QUE SABE

EL IMPERATIVO

regulares   *irregulares*

	TOMAR	BEBER	SUBIR	PONER	SER	IR	DECIR	SALIR	VENIR	TENER	HACER
(tú)	tom**a**	beb**e**	sub**e**	**pon**	**sé**	**ve**	**di**	**sal**	**ven**	**ten**	**haz**
(vosotros/as)	tom**ad**	beb**ed**	sub**id**	poned	sed	id	decid	salid	venid	tened	haced
(usted)	tom**e**	beb**a**	sub**a**	ponga	sea	vaya	diga	salga	venga	tenga	haga
(ustedes)	tom**en**	beb**an**	sub**an**	pongan	sean	vayan	digan	salgan	vengan	tengan	hagan

EL FUTURO

regulares   *irregulares*

				CABER	**cabr**	
(yo)		**-é**		SABER	**sabr**	
(tú)		**-ás**		HABER	**habr**	-é
(él, ella, usted)	cenar	**-á**		PONER	**pondr**	-ás
(nosotros/as)	conocer	**-emos**		TENER	**tendr**	-á
(vosotros/as)	vivir	**-éis**		PODER	**podr**	-emos
(ellos, ellas, ustedes)		**-án**		HACER	**har**	-éis
				QUERER	**querr**	-án
				SALIR	**saldr**	
				VENIR	**vendr**	

EL CONDICIONAL

regulares   *irregulares*

				CABER	**cabr**	
(yo)		**-ía**		SABER	**sabr**	
(tú)		**-ías**		HABER	**habr**	-ía
(él, ella, usted)	cenar	**-ía**		PONER	**pondr**	-ías
(nosotros/as)	conocer	**-íamos**		TENER	**tendr**	-ía
(vosotros/as)	vivir	**-íais**		PODER	**podr**	-íamos
(ellos, ellas, ustedes)		**-ían**		HACER	**har**	-íais
				QUERER	**querr**	-ían
				SALIR	**saldr**	
				VENIR	**vendr**	

EL PRESENTE DE SUBJUNTIVO

regulares   *irregulares frecuentes*

	HABLAR	COMER	VIVIR	SER	IR	HABER
(yo)	habl**e**	com**a**	viv**a**	**se**a	**vay**a	**hay**a
(tú)	habl**es**	com**as**	viv**as**	**se**as	**vay**as	**hay**as
(él, ella, usted)	habl**e**	com**a**	viv**a**	**se**a	**vay**a	**hay**a
(nosotros/as)	habl**emos**	com**amos**	viv**amos**	**se**amos	**vay**amos	**hay**amos
(vosotros/as)	habl**éis**	com**áis**	viv**áis**	**se**áis	**vay**áis	**hay**áis
(ellos, ellas, ustedes)	habl**en**	com**an**	viv**an**	**se**an	**vay**an	**hay**an

irregulares con cambio vocálico

	PODER	QUERER	REPETIR	SENTIR
(yo)	p**ue**da	qu**ie**ra	rep**i**ta	s**ie**nta
(tú)	p**ue**das	qu**ie**ras	rep**i**tas	s**ie**ntas
(él, ella, usted)	p**ue**da	qu**ie**ra	rep**i**ta	s**ie**nta
(nosotros/as)	podamos	queramos	rep**i**tamos	s**i**ntamos
(vosotros/as)	podáis	queráis	rep**i**táis	s**i**ntáis
(ellos, ellas, ustedes)	p**ue**dan	qu**ie**ran	rep**i**tan	s**ie**ntan

PRONOMBRES PERSONALES

sujeto	reflexivos	OD	OI	con preposición: **a**, **de**, por, para, sin...	con la preposición **con**
yo	me	me	me	mí	conmigo
tú	te	te	te	ti	contigo
él, ella, usted	se	lo/le, la	le	él, ella, usted	con él/ella/usted
nosotros/as	nos	nos	nos	nosotros/as	con nosotros
vosotros/as	os	os	os	vosotros/as	con vosotros
ellos, ellas, ustedes	se	los, las	les	ellos, ellas, ustedes	con ellos/ellas/ustedes

POSESIVOS

yo

mi	mío	el mío
	mía	la mía
mis	míos	los míos
	mías	las mías

tú

tu	tuyo	el tuyo
	tuya	la tuya
tus	tuyos	los tuyos
	tuyas	las tuyas

él, ella, usted

su	suyo	el suyo
	suya	la suya
sus	suyos	los suyos
	suyas	las suyas

nosotros/as

nuestro	el nuestro
nuestra	la nuestra
nuestros	los nuestros
nuestras	las nuestras

vosotros/as

vuestro	el vuestro
vuestra	la vuestra
vuestros	los vuestros
vuestras	las vuestras

ellos, ellas, ustedes

su	suyo	el suyo
	suya	la suya
sus	suyos	los suyos
	suyas	las suyas

DEMOSTRATIVOS

masc. sing.	*fem. sing.*	*masc. pl.*	*fem. pl.*
este	esta	estos	estas
ese	esa	esos	esas
aquel	aquella	aquellos	aquellas

neutro

esto
eso
aquello

ARTÍCULOS

masc. sing.	*fem. sing.*	*masc. pl.*	*fem. pl.*
el	la	los	las
un	una	unos	unas

OTRO, OTRA, OTROS, OTRAS

masc. sing.	*fem. sing.*	*masc. pl.*	*fem. pl.*
otro	otra	otros	otras

POCO, SUFICIENTE, BASTANTE, MUCHO, DEMASIADO

masc. sing.	*fem. sing.*	*masc. pl.*	*fem. pl.*
poc**o**	poc**a**	poc**os**	poc**as**
much**o**	much**a**	much**os**	much**as**
demasiad**o**	demasiad**a**	demasiad**os**	demasiad**as**

	fem. sing.	*masc. pl.*	
	suficiente	suficiente**s**	
	bastante	bastante**s**	

ALGÚN/A, ALGUNOS/AS, NINGÚN/O/A

masc. sing.	*fem. sing.*	*masc. pl.*	*fem. pl.*
algún/**o**	algun**a**	algun**os**	algun**as**
ningún/**o**	ningun**a**	--	--

MISMO/A/OS/AS

masc. sing.	*fem. sing.*	*masc. pl.*	*fem. pl.*
mism**o**	mism**a**	mism**os**	mism**as**

GÉNERO Y NÚMERO DEL ADJETIVO

masc. sing.	*fem. sing.*	*masc. pl.*	*fem. pl.*
-o	**-a**	**-os**	**-as**
activ**o**, seri**o**	activ**a**, seri**a**	activ**os**, seri**os**	activ**as**, seri**as**
-or	**-ora**	**-ores**	**-oras**
trabajad**or**	trabajad**ora**	trabajad**ores**	trabajad**oras**
-e		**-es**	
alegr**e**, inteligent**e**		alegr**es**, inteligent**es**	
-ista		**-istas**	
optim**ista**, deport**ista**		optim**istas**, deport**istas**	
-consonante (-*l*, -*z*...)		**-consonante** + *es* (-*les*, -*ces*...)	
fáci**l**, feli**z**		fáci**les**, feli**ces**	

notas

gente hoy 2

Libro del alumno

Autores
Ernesto Martín Peris
Neus Sans Baulenas

Asesores internacionales
ALEMANIA: Kika Carreño Ruíz, Würzburger Dolmetscher Schule, Würzburg; Loreto Díaz, Instituto Cervantes de Bremen; Ángel González Curbelo, Universidad de Würzburg; Susana Iranzo, IC Bremen; Javier Navarro Ramil, Instituto Cervantes de Hamburgo; Carmen Pastor Villalba, Instituto Cervantes de Múnich; Myriam Pradillo Guijarro, IC Bremen.
AUSTRIA: Ainhoa Bestué, Instituto Cervantes de Viena.
BÉLGICA: Eva Beltrán, Instituto Cervantes de Bruselas.
BRASIL: Eleonora Pascale Val, Instituto Cervantes de Sao Paulo.
ESPAÑA: Sandra Gobeaux, escuela Speakeasy Barcelona.
HOLANDA: Silvia Canto Gutiérrez, Universidad de Utrecht.
ITALIA: Judith Gil Clotet, Instituto Cervantes de Nápoles.
MARRUECOS: Bárbara Moreno, Instituto Cervantes de Casablanca; Sonia Ortega, IC Casablanca; Ángeles Ortiz, IC Casablanca.
SERBIA: Carolina Domínguez, Instituto Cervantes de Belgrado.
TÚNEZ: Mercedes Barrios, Instituto Cervantes de Túnez; Isabel Miralles, IC Túnez

Coordinación editorial y redacción
Sergio Troitiño y Pablo Garrido

Diseño y dirección de arte
Ángel Viola, Juan Asensio, Grafica

Maquetación
Juan Asensio

Ilustraciones
Pere Virgili (págs. 23, 32, 36-37, 38-39, 46-47, 52, 56-57, 68-69, 72, 85, 88-89, 98-99, 102, 104, 111). Àngel Viola (pág. 17, cuadros de gramática, secciones "Os será útil..." y Consultorio gramatical), Alejandro Milà (págs. 24, 48-49, 50-51, 93, 103, 112, 113, 116-117), Martín Tognola (págs. 30-31, 40, 41, 42, 43, 44-45, 62)

Corrección
Àlex Sánchez

Fotografías
Unidad 0 pág. 14 Difusión, ryzhkov86/123RF, Carlos Caetano/Dreamstime, Anthony Brown/Dreamstime, Mapics/Dreamstime; pág. 15 grublee/123RF, Ambientideas/Dreamstime, Venusangel/Dreamstime, R.Jáuregui/Photaki; pág. 17 Kota; **Unidad 1** pág. 18 Christoph Weihs/Dreamstime, rinder/123RF, peus/12 3RF, Juan Pablo Olmo/Flickr, Juanjo Zanabria Masaveu/Flickr, Natividad Martín Santos, Maika Sánchez Fuciños; pág. 19 Maika Sánchez Fuciños, max riesgo/123RF, Paco Serrano Jurado, todocoleccion.net, mercadolibre.com.ar; pág. 20 Antonia Moya; pág. 21 Antonia Moya; pág. 22 Beatrice Casado Chinarro, Paco Serrano Jurado, Verónica Muñoz González; pág. 25 García Ortega; pág. 26 diariodenavarra.es, elmundoen80platos.wordpress.com, msghi.wordpress.com; pág. 27 cultura.elpais.com, wired.com, lapatilla.com; **Unidad 2** pág. 28 manypicture.com, blognuevofuturo.blogspot.com, nortesurrecords.com, coveralia.com, sgwift.com; pág. 29 colchonero.com, pasionluthierana.blogspot.com, dodmagazine.es, elalcaldedezalamea.blogspot.com; pág. 30 Grigor Atanasov/Dreamstime, recetas.hellofood.com.co; pág. 32 elseptimoarte.net; pág. 33 Alexey Kuzin/Dreamstime, noega.info, amoralasmexicanas.blogspot.com, oasisanimation.com, detele.es, historiadeunlinceiberico.wordpress.com, forum.rojadirecta.es, blogs.los40.com, entretenimiento.terra.es; pág. 34 José Ramón Pizarro/Photaki, Heinz Hebeisen/Photaki, José Ramón Pizarro/Photaki; pág. 35 José Ramón Pizarro/Photaki; pág. 37 sportvicious.com, morethanmerlot.com, diariosur.es; **Unidad 3** pág. 38 Polina Ryazantseva/Dreamstime; pág. 47 M. Vázquez Montalbán/Random House Mondadori, M. Vázquez Montalbán/Editorial Planeta, M. Vázquez Montalbán/Editorial Planeta; **Unidad 4** pág. 48 Difusión; pág. 54 salud180.com; pág. 55 Evgeny Drobzhev/Dreamstime; pág. 56 Saul Tiff; pág. 57 Ingrampublishing/Photaki, Svetlana Kuznetsova/Dreamstime; **Unidad 5** pág. 58 Diego Cervo/123RF, Jorge Franganillo/Flickr, juanedc/Flickr, pastranec/Flickr, Deux0r/Dreamstime, Sergio Troitiño; pág. 59 Pethey/Deviantart.com; pág. 60 teeteringtheunknown.wordpress.com, Photka/Dreamstime, Loongar/Dreamstime, Serg_velusceac/Dreamstime, Juan Moyano/Dreamstime, Roman Borodaev/Dreamstime, whispering_hills/vividlife.me, Newlight/Dreamstime; pág. 62 rudyumans/canstockphoto.com; pág. 63 Tuja66/Dreamstime, froekengroen.dk; pág. 64 Kathryn Sidenstricker/Dreamstime, Olivier Le Queinec/Dreamstime, Reinhardt/Dreamstime, Yuriy Chaban/Dreamstime, David Seymour/Dreamstime, Radub85/Dreamstime, Stepan Popov/Dreamstime, digai.com.br, Valeev Rafael/Dreamstime, Tr3gi/Dreamstime; **Unidad 6** pág. 68 Belliot/Dreamstime, Efe Can Altuncu/Dreamstime, Sashahaltam/Dreamstime, Fuzzbones/123RF, Dan Race/Fotolia, ciakroncatostore.it; pág. 69 Ikea.com; pág. 70 Ksenia Kozlovskaya/Dreamstime, Ismael Tato Rodriguez/Dreamstime, Sfumata/Dreamstime, Juan Moyano/Dreamstime, Ppy2010ha/Dreamstime, Jorge Rodriguez Gaspar/Dreamstime, Goran Kuzmanovski/Dreamstime, Aprescindere/Dreamstime, Shevs/Dreamstime, Norberto Mario Lauría/Dreamstime; pág. 73 Robbiverte/Dreamstime, Dmitry Vereshchagin/Fotolia, akf/Fotolia; pág. 74 Miguel angel Salinas salinas/Dreamstime, Oleg Zhukov/Fotolia, Pavla Zakova/Dreamstime, Simbiosc/Flickr; pág. 75 Andreblais/Dreamstime, Olivier Le Queinec/Dreamstime, Francisco Javier Espuny/Dreamstime; pág. 76 culturayeconomia.org, picstopin.com; pág. 77 museosvirtuales.azc.uam.mx, donmusica.com, lagazzettadf.com, fotosimagenes.org; **Unidad 7** pág. 78 webtaj.com, Rimisp/Flickr, blogs.iadb.org, Rimisp/Flickr, fao.org, chapalaenvivo.com, lavozdelciranuco.com, uchile.cl; pág. 79 un.org; pág. 80 Danilo Ascione/Dreamstime, Carolina Garcia Aranda/Dreamstime, Scruggelgreen/Dreamstime; pág. 81 itsallrc.com, diveandfish.com.au, mrbujia.com, blog.is-arquitectura.es, snid.eu, myinteriordesign.us; pág. 82 Cobalt88/Dreamstime; pág. 84 Alexandre Campbell/Wikimedia; pág. 85 Atanasbozhikov/Dreamstime, ccbguajira.wikispaces.com; pág. 86 Eugenio Mazzinghi/vebidoo.es, cancionero.net; **Unidad 8** pág. 90 Robert Kneschke/Dreamstime; pág. 91 txemarodriguez.es, huffingtonpost.es; pág. 94 Jesussanz/Dreamstime; pág. 95 David Troitiño Blázquez; pág. 96 paraisocultural.wordpress.com, mercadolibre.com.mx, intercambiouruguay.wordpress.com; **Unidad 9** pág. 100 Cienpies Design/Dreamstime; pág. 101 Martinmark/Dreamstime, Andrés Rodríguez/Dreamstime,

Nathsrikhajon/Dreamstime, Emilio Marill; pág. 102 Odua/Dreamstime; pág. 104 kertoon.com, Manaemedia/Dreamstime; pág. 105 Pablo Caridad/Dreamstime, Diego Vito Cervo/Dreamstime, Arseniy Rogov/Dreamstime, eufratesdelvalle. blogspot.com; pág. 106 biblioteca.ucm.es, misplumasfuente.wordpress. com; pág. 107 Juan Yanes/Escuela-tai.com, accionpoetica.com, Bombaert/ Dreamstime, aycarmelaaycarmela.blogspot.com; **Unidad 10** pág. 108 ilkerender/ Flickr, elplacerdevivir.com, noticaribe.com.mx; pág. 109 Ingrid Truemper/Flickr, Agência de Notícias do Acre/Flickr, riowang.blogspot.com, Héctor García/Flickr, jimmyharris/Flickr, Fernando Jiménez/Flickr, pág. 110 Serjio74/Dreamstime, Pablo Rogat/Dreamstime, Marcos Escalier/Wikimedia, Robert Reyl/Dreamstime, pág. 112 Jamen Percy/Dreamstime, pág. 114 Dashark/Dreamstime, Jose Manuel Gelpi Diaz/Dreamstime, Difusión, pág. 115 Shariff Che Lah/Dreamstime, **Cubierta** Kota, excepto: Ingrampublishing/Photaki, Adolfo López/Photaki, IS2/Photaki, Juanjo Zanabria Masaveu/Flickr, Nicolás Zabo Zamorano/Flickr, sodaniechie/Flickr, noticiasusodidactico.com, Wikimedia Commons (Velázquez), Joan Sanz/Difusión (Ernesto Che Guevara), keeweeboy/123Rf, phakimata/123Rf, zurijeta/123Rf, Pablo Gallo (Julio Cortázar), Oswaldo Guayasamín (Mercedes Sosa), agencia de noticias Difusión Perú (Chabuca Granda), Silvana Tapia Tolmos, Séverine Battais, Ignacio Saco, Neus Sans Baulenas, Saul Tiff, Ludovica Colussi, Juan Asensio, Luis Luján, García Ortega, Claudia Zoldan, Edith Moreno, Emilio Marill, Maika Sánchez Fuciños, Virginie Ouanani, Verónica Muñoz, Beatrice Casado, Sergio Troitiño, Difusión

Textos
© Ramón Gómez de la Serna y César Fernández Arias, *100 greguerías ilustradas*. Editorial Media Vaca, 2007 (pág. 66)
© Joan Brossa, *Tast de poemes objecte*. Editorial Barcanova, 2002 (pág. 67)
© Joan Brossa, *Poesia tipogràfica*. Fundació Joan Brossa, 2004 (pág. 67)
© Joan Manuel Serrat, "A quien corresponda" de *En tránsito*. Ariola, 1981 (pág. 87)
© Mario Benedetti, *El amor, las mujeres y la vida*. Editorial Alfaguara, 1996 (pág. 97)

Grabación CD
Difusión, Estudios 103, CYO Studios. **Locutores:** José Antonio Benítez Morales, ESPAÑA; Iñaki Calvo, ESPAÑA; Cristina Carrasco, ESPAÑA; Enric Cusí, ESPAÑA; Bruna Cusí Echániz, ESPAÑA; Silvia Dotti, URUGUAY; Fabián Fattore, ARGENTINA; Olivia Espejel, MÉXICO; Francisco Fernández, CHILE; Laura Fernández Jubrias, CUBA; Luis G. García, PERÚ; Agustín Garmendia, ESPAÑA; Paula Lehner, ARGENTINA; Lina Mejía, COLOMBIA; Juan Pablo Miranda, ARGENTINA; Carmen Mora, ESPAÑA; Edith Moreno, ESPAÑA; Rosa Moyano, ESPAÑA; Lourdes Muñiz, ESPAÑA; Núria Murillo, ESPAÑA; Lola Oria, ESPAÑA; Kepa Paul Parra, ESPAÑA; María Fernanda Peláez, PERÚ; Albert Prat, ESPAÑA; Arnau Puig, ESPAÑA; Mª Carmen Rivera, ESPAÑA; Felix Ronda Rivero, CUBA; Rosa María Rosales Nava, MÉXICO; Amalia Sancho Vinuesa, ESPAÑA; Neus Sans Baulenas, ESPAÑA; Clara Segura Crespo, ESPAÑA; Josefina Simkievich, ARGENTINA; Sergio Troitiño, ESPAÑA; María Vera, ESPAÑA; Nuria Villazán, ESPAÑA; Armand Villén García, ESPAÑA. **Música:** Difusión, Juanjo Gutiérrez. **Efectos sonoros:** Freesound.org (Acclivity, lg, dkustic, robinhood76, sascha-burghard, joedeshon, manicciola, boss-music, geodylabs, jessepash, zerolagtime, victoriarey91, gerardcatala, bmoreno, mario1298, hcamilo)

Agradecimientos
Séverine Battais, Antonio Béjar, Albert Borràs, Charo Cálix González, Ana Campos, Eduardo Canales, Beatrice Casado Chinarro, Miguel Chinarro Martín, Ludovica Colussi, Carolina Domínguez, Isabel García, Oscar García, Juan García-Romeu Díaz, Javier González Lozano, Paco Jurado Serrano, Eva Llorens, Luis Luján, Emilio Marill, Carmen Mora, Edith Moreno, Verónica Muñoz, Lourdes Muñiz, Virginie Ouananie, Xavier Quesada, Marta Sanahuja, Juana Sánchez Benito, Silvana Tapia Tolmos, Viviana Tapia Tolmos, David Troitiño Blázquez, Francisco Troitiño Pulido, Mar Troitiño Sanahuja, Nil Troitiño Sanahuja, Maika Sánchez Fuciños, Pol Wagner Sans

ISBN: 978-84-15640-37-0
Depósito Legal: B-04.765-2014
Reimpresión: agosto 2015
Impreso en España por Novoprint

Si quieres consolidar tu nivel B1, **te recomendamos:**

GRAMÁTICAS

Gramática básica del estudiante de español

Cuadernos de gramática española B1

PREPARACIÓN PARA EL DELE

Las claves del nuevo DELE B1

LECTURAS GRADUADAS

  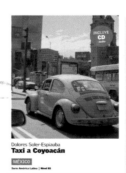  

**García Márquez.
Una realidad mágica**

**Dalí.
El pintor de sueños**

Taxi a Coyoacán

La vida es un tango

Los jóvenes argentinos